A BÚSSOLA E O LEME

AGRADECIMENTOS

A gratidão é a memória do coração, e transforma o que temos em suficiente.

Minha mais profunda e primordial gratidão aos meus pais HAROLDO MARIANO DIAS e NILZA DUTRA, pelo dom precioso da vida.

Aos meus pais de coração MÁRCIA VILLAR DIAS, JOSÉ HAILTON MARIANO DIAS, GERSON RODRIGUES TAVARES e MARIA FRANCISCA DA COSTA.

Aos meus filhos CLARISSA FRANÇA DIAS e JOÃO GABRIEL CATALDO DIAS, pela presença, pelo amor que me doam e pelo amor que despertam em mim.

À minha esposa PRISCILLA SILVA DIAS, pela renúncia, pelo amor, apoio, pela torcida, por me acompanhar em tudo, e pela filhinha que trouxe ao meu coração, chamada GISELLE SILVA DE MESQUITA.

Aos meus irmãos e irmãs RENATA DUTRA, RAFAEL DIAS, ELAINE FERREIRA TAVARES, EDNAM FERREIRA TAVARES, WILLIAM FERREIRA TAVARES e ao meu gêmeo, que partiu nos primeiros dias, FABIANO DUTRA.

Ao meu genro MÁRCIO THADEU FIRMIANO, pelo auxílio e incentivo.

Ao casal GESIANE MARTINS e LUIZ EUGÊNIO MARTINS, pelas lutas, lágrimas, alegrias e pelo trabalho de espalhar a luz e o bem ao redor do mundo.

Aos amigos do Instituto SER, na pessoa de JULIO CORRADI e THIAGO FRANKLIN, pela longa jornada de realizações.

Agradeço ao amigo FABIANO ZICA por ter sido o primeiro a me apontar esse caminho, no momento em que essa possibilidade ainda não estava no meu horizonte de percepção.

Ao amigo ROSSANDRO KLINJEY, que me inspirou e incentivou a iniciar essa nova jornada.

Aos meus queridos editores LUIZ SAEGUSA e CLAUDIA SAEGUSA, pelo apoio, conselhos, profissionalismo e suporte nesse empreendimento.

Aos amigos do Grupo EBM, em nome de EDNA ALVES PORTO e ADRIANO MIGLIO, pelo apoio espiritual.

Aos parceiros incríveis e imprescindíveis THEO CABRAL, MICHELLE SALES, FILIPPE ROCHA, SAULO C. R. SILVA, LARISSA SILVA e RENAN T. CELESTINO, por serem as pessoas especiais que tenho a honra de trabalhar lado a lado.

Aos meus sogros INDIS ANTONIO DA SILVA e NEUSA ISABEL CARVALHO DA SILVA, pelo suporte e apoio constantes.

Aos meus cunhados INDIS ANTONIO JUNIOR e ANE CAROLINE MEDEIROS, ISABELLE SILVA VENTURA e DEMÉTRIUS NUNES VENTURA.

Ao meu amigo de infância JOÃO NÉLIO CÂMARA COELHO e DANIELLA ARREGUI por todas as experiências compartilhadas.

Agradeço ao Comandante AMAURI MONTANDON CAPUZZO pela assessoria técnica nos assuntos relacionados à aviação, bem como pela amizade generosa.

A todos que me acompanham nas redes sociais e nas palestras presenciais, que são minha inspiração para produzir este livro.

Editores: *Luiz Saegusa* e *Cláudia Zaneti Saegusa*
Capa: *Filipa Pinto e Eduardo Foresti*
Projeto gráfico e diagramação: *Casa de Ideias*
Ilustração: *Rui Joazeiro*
Finalização: *Mauro Bufano*
Revisão: *Rosemarie Giudilli* e *Larissa Meirelles Barbalho Silva*
Colaboração: *Saulo Cesar Ribeiro da Silva*
Consultor de aviação: *Comandante Amauri Montandon Capuzzo*
Imagens: *Shutterstock*
1ª Edição: *2019*
Impressão: *Lis Gráfica e Editora*

Dados Internacionais de Catalogação na Publicação (CIP)
(Câmara Brasileira do Livro, SP, Brasil)

Dias, Haroldo Dutra
A bússola e o leme : em busca da direção e do sentido / Haroldo Dutra Dias -- 1. ed. -- São Paulo : Intelítera Editora, 2019.

ISBN: 978-85-7067-007-6

1. Autoconhecimento 2. Autorrealização 3. Desenvolvimento pessoal 4. Existência humana 5. Motivação 6. Mudança de atitude 7. Reflexões I. Título.

19-26385 CDD-158.1

Índices para catálogo sistemático:

1. Desenvolvimento pessoal : Psicologia aplicada 158.1

Cibele Maria Dias - Bibliotecária - CRB-8/9427

Letramais Editora

Rua Lucrécia Maciel, 39 - Vila Guarani
CEP 04314-130 - São Paulo - SP
11 2369-5377
www.letramaiseditora.com.br
facebook.com/letramaiseditora
instagram.com/letramaiseditora

SUMÁRIO

PARTE I O CÉU E A EMBARCAÇÃO 7

CAP. 1 - A NATUREZA SOBERANA 9

CAP. 2 - OS CICLOS DA VIDA 19

CAP. 3 - A CONSCIÊNCIA COCRIADORA 39

CAP. 4 - OS SETORES DA EXPERIÊNCIA 65

CAP. 5 - A INTEGRAÇÃO DE SI MESMO 105

CAP. 6 - A INTEGRAÇÃO COM A NATUREZA 141

PARTE II A NAVEGAÇÃO 153

CAP. 7 - A NAVE E O CAPITÃO 155

CAP. 8 - O MAPA MENTAL..175

CAP. 9 - O PLANO DE VOO 191

CAP. 10 - AEROVIAS (ESTRADAS AÉREAS) 213

CAP. 11 - O TEMPO E A ROTA 231

CAP. 12 - OUTROS NAVEGANTES..241

PARTE III EXERCÍCIOS 251

EXERCÍCIO 1 252

EXERCÍCIO 2 254

PARTE I

O céu e a embarcação

01

A natureza soberana

Olhai as aves do céu que
não semeiam, nem ceifam...

Naquele inverno rigoroso, casas e ruas de Nuuk cobriam-se de neve. Nem mesmo o céu podia fugir aos imperativos da invernada, e refletia o melancólico tom de cinza da paisagem. Lá fora, o frio de vinte graus negativos convidava os moradores da ilha mais extensa da Terra, *Greenland*, ao repouso e à reflexão.

Aos pés da lareira, podia-se ouvir o lamento triste e desiludido a lembrar que “depois da bonança sempre vem a tempestade”. É fácil compreender queixa tão amarga. Na estação do frio, o polo Ártico parece engolir a ilha, congelando montes e vales, rios e lagos. Nem mesmo os oceanos e os mares fogem da impressionante expansão da calota polar.

Os dias são curtos, e as noites são mais longas. O verde e as cores brilhantes parecem esconder-se em algum local secreto, invisível. O inverno reina soberano. Tem-se a impressão de que chegou para nunca mais partir.

Há certa magia no recolhimento, quando tudo aparentemente parece repousar. Em meio à quietude, forças latentes da Natureza se preparam para ciclo novo e promissor.

Esse segredo, entretanto, pede um olhar atento, inquieto e inquiridor. É preciso "olhos de ver". Nem tudo permanece cinzento, algo escapou do gelo. Luzes verdes e vermelhas dançam no céu ao anoitecer. É a Aurora Boreal que, em contraponto à nevasca, anuncia seu luminoso e espetacular balé, clamando em alto e bom som que há algo mais por trás da geleira. Na verdade, por detrás da tempestade há sempre uma dança de luzes. Ventos, tempestades, gelo e neve, frio e escassez nos fazem ter calafrios, literalmente, mas são cíclicos. Dificuldades e obstáculos, sofrimento e perda sempre foram descritos com o auxílio da metáfora do inverno. Entretanto, eles também são cíclicos.

O inverno não dura para sempre.

A Lição? Na Natureza, tudo obedece a padrões de regularidade e ordem, que podem ser observados e mensurados com precisão. Todos os elementos naturais exibem harmonia e previsibilidade. Sem esses padrões, não seria possível o conhecimento humano, muito menos a ciência.

Tudo se move e se altera no momento certo.

Nessa coreografia das quatro estações, cada período desenha seu traçado, seu movimento, seu ritmo próprio. É necessário bailar em sintonia com a música. É o que fazem os moradores da ilha, desde os Esquimós aos Ursos Polares. Eles se adaptam ao máximo que podem, mudando hábitos e expectativas.

Entretanto, nem sempre é possível ficar... Alguns migram para longe. É necessário sobreviver! Navegadores antigos tinham uma frase gloriosa:

> ***Navegar é preciso, viver não é preciso.***
> *Quero para mim o espírito desta frase, transformada.*
> *A forma para a casar com o que eu sou: Viver não é necessário; o que é necessário é criar.*
>
> Fernando Pessoa[1]

Deslocar-se com senso de direção e sentido, oportunidade e conveniência, estratégia e performance, de modo a poder viajar e regressar em segurança tem nome e se chama: MIGRAÇÃO.

---

1 No Século I a.C, o general romano Pompeu encorajava marinheiros receosos, inaugurando essa frase "Navigare necesse, vivere non est necesse". No Século XIV, o poeta italiano Petrarca transformava a expressão para "Navegar é preciso, viver não é preciso". Fernando Pessoa se apropriou da frase para criar seu belo poema. Segundo a Universidade de Coimbra: "Viver não é preciso? Não, quando navegar é sonhar, ousar, planear, arriscar, empreender, realizar... Porque aí, navegar é viver".

As aves migratórias deslocam-se em grupos de sua própria espécie, da região de reprodução para outras áreas de alimentação e descanso, retornando ao local de origem. Elas repetem esse ciclo anualmente, o que lhes permite usufruir o verão duas vezes ao ano.

É um privilégio, mas tudo tem um preço....

Aquelas que partem do Hemisfério Norte, por ocasião do rigoroso inverno, são consideradas as maratonistas da migração, pois cruzam a Terra de um polo a outro, voando em média vinte mil quilômetros por ano.

O preço? Esse imenso deslocamento exige resistência, habilidade e ainda uma fina sintonia com os padrões de regularidade presentes na Natureza.

Antes da migração, essas aves passam por um período de alimentação intensa, chamada de engorda pré-migratória. A gordura é o seu principal estoque de energia para a viagem. Nesse período, seus depósitos de energia na cavidade do corpo e nos tecidos subcutâneos aumentam aproximadamente dez vezes, alcançando, em muitos casos, 50% da massa corporal magra.

Além disso, o voo migratório exige apurado senso de orientação e navegação, para configuração de complexas rotas, e se baseia em múltiplas indicações sensoriais da ave: localização, intensidade e duração diária da luz solar, linhas magnéticas da magnetosfera terrestre, referenciais geográficos no solo, diferentes odores do ar, movimento das estrelas, incluindo a Lua, e aprendizado herdado.

Segundo pesquisas acadêmicas da Universidade de Oxford e Cingapura, esses pássaros possuem um visor de campo magnético. Assim, eles podem, literalmente, enxergar manifestações da magnetosfera terrestre, para empreenderem os longos voos migratórios.

Os cientistas já sabiam que os pássaros eram capazes de perceber o campo magnético da Terra, do mesmo modo que tinham conhecimento de que essa percepção se assemelhava a uma **bússola.** Não sabiam, porém, que essa sensibilidade era resultado de elementos bioquímicos, presentes nos olhos do animal, ou seja, essa habilidade decorre de condições especiais da sua visão: eles podem enxergar os efeitos das linhas magnéticas do planeta terrestre.

As aves migratórias podem ler o céu.

Há um caso especial, dentre todas as aves migratórias...

A cidade de Nuuk guarda a história de uma intrigante, pequenina e audaciosa ave migratória. Todos a conhecem pelo nome de Andorinha-do-Ártico, embora eu prefira chamá-la simplesmente de *Linda.*

Nenhuma outra ave da Groelândia representa melhor a sensação da chegada do verão no Ártico do que essa charmosa Andorinha. A sua aparição exuberante na paisagem, bem como a curiosa localização do seu ninho, em fendas rochosas ou tocas encontradas no próprio solo, tornam esse pássaro um dos símbolos da Ilha de *Greenland.*

O seu grito evoca, para muitos habitantes, o último sinal de um longo inverno, bem como o início do verão, com o retorno modesto do sol, acompanhado de pequena elevação das temperaturas. Eis que é chegado o verão, pois "depois da tempestade sempre vem a bonança". A voz amiga e esperançosa do pequenino pássaro apazigua as angústias.

O seu canto tem sabor de esperança.

Há na Groelândia até mesmo uma tradição popular, um dos destaques da temporada de verão, que é o ritual da colheita dos ovos dessa Andorinha, guardados como símbolo da estação de veraneio, verdadeira festa folclórica Nórdica, aclamada pelos populares, embora não muito bem vista pelas Andorinhas nem pelos biólogos.

A Andorinha-do-Ártico é, igualmente, símbolo da migração de longa distância – a mais longa migração anual já registrada em qualquer animal. Nenhuma outra espécie conecta as duas regiões polares, empregando tão sofisticada estratégia, quanto esse pequeno pássaro.

Ela atravessa vastas regiões marinhas, experimenta bruscas mudanças no meio ambiente, vence enormes desafios, mas sabe aproveitar as oportunidades que surgem nos locais de reprodução, onde encontra alimentação e abrigo.

Embora seja pequenina e leve, a Andorinha-do-Ártico é uma heroína, absolutamente comprometida consigo mesma e com os seus.

Saindo das colônias reprodutivas da Groelândia, elas se dirigem ao Sul, em direção ao Mar de *Weddell*, na

Antártida, e retornam ao ponto de origem, percorrendo em média 71.000 km.

Perto da linha do Equador (10 N), há uma divisão na rota de migração: algumas aves seguem ao longo da Costa da África, enquanto outras se dirigem à Costa da América do Sul. O retorno para a região de reprodução na Groelândia é realizado com espantosa rapidez, em média 520 km/dia, aproveitando a rota dos ventos favoráveis.

Em sua migração para o Sul, fazem uma parada de quase um mês nas águas rasas do Atlântico Norte. Utilizam essa região de alta produtividade biológica, decorrente da intensa reprodução de zooplânctons e da migração em massa de peixes, como ponto de abastecimento em pleno mar.

A viagem para o polo Sul dura em média três meses, e as andorinhas atingem velocidade média de 330 km/dia. Já o percurso de volta, para as áreas de reprodução no norte, é bem mais rápido, dura aproximadamente 40 dias, e os pequenos pássaros voam em velocidade média de 520-670 km/dia, aproveitando os sistemas eólicos globais predominantes no período.

Quando se sabe a direção e o sentido, há sempre ventos favoráveis.

O quadro esquemático dessa migração nos revela fina sintonia entre a Andorinha-do-Ártico e os elementos cíclicos da Natureza: Estações, Clima, Ventos, Correntes Marítimas. Além disso, ela possui um profundo senso de localização e deslocamento.

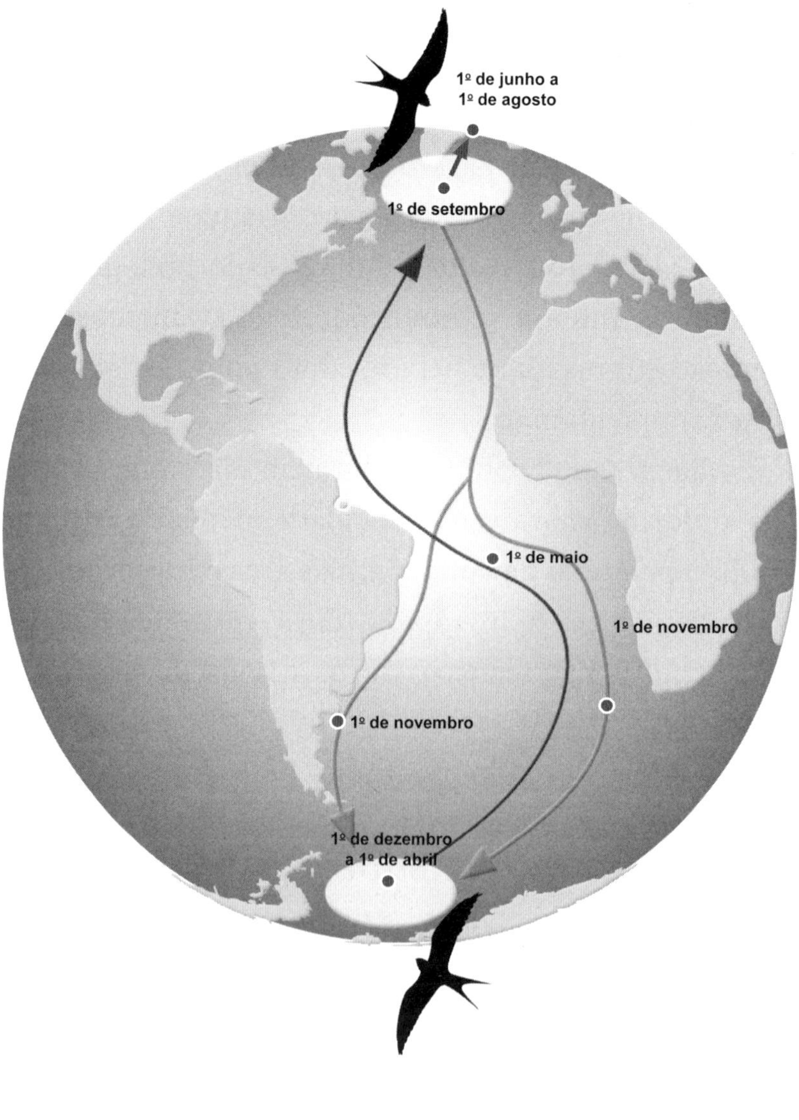

A primeira migração é feita com os pais, na companhia do grupo, ocasião em que incorpora um elemento fundamental para o sucesso da jornada, a memória geográfica. Trata-se do aprendizado e memorização dos locais importantes do percurso, utilizados com bastante regularidade por todas as aves da espécie.

A imensa adaptabilidade dessa pequenina ave e a extraordinária disposição em cruzar o planeta de uma ponta a outra, em busca de melhores condições de vida, sem se prender aos obstáculos e adversidades do percurso, e sem ficar apegada ao ponto de origem, representam lições profundas para todos nós.

Quando dirigimos nosso olhar para os seres humanos, encontramos o mesmo gênero de desafios, mas nem sempre a mesma atitude da andorinha.

Vemos a estação do frio invadindo periodicamente nossas vidas. Contemplamos as tempestades, mudanças bruscas, deslocando tudo e a todos. Experimentamos a escassez e a penúria invadindo e dominando onde antes era verdura e abundância. Após um arco-íris de alegrias, surge o tom cinzento que aniquila, em parte, as esperanças.

Nessas horas desafiadoras, a espécie humana é surpreendente, tanto na inércia quanto na atividade. Ao lado das disposições mais corajosas de resistência e luta, encontramos a desilusão, a amargura e, infelizmente, em alguns casos, até mesmo a desistência do próprio ato de viver.

O que faltaria ao Ser Humano para lidar com a cíclica estação da invernada?

Qual a direção a tomar, quando o local onde nos situamos ameaça nossa sobrevivência física ou psíquica?

Somos também portadores de inato senso de direção e sentido?

Como ativar esses potenciais no momento adequado?

A vida é sempre uma balança tentando equilibrar o desagradável e o agradável em perfeita sincronia. Quase nunca tudo está bom.

Por outro lado, todo período difícil e desafiador tem data certa para terminar. É o que nos diz a história da Andorinha-do-Ártico, em seu longo percurso migratório, verdadeira metáfora da vida humana.

O seu voo audaz é portador de valiosa mensagem. Eis a lição:

Em muitas ocasiões,
o melhor a fazer é
simplesmente MIGRAR.

02

Os ciclos da vida

Cada homem possui, com a existência, uma série de estações e uma relação de dias, estruturada em precioso cálculo de probabilidades. Razoável se torna que aproveite a primavera da mocidade, o verão das forças físicas e o outono da reflexão, para a grande viagem do inferior para o superior.
(Emmanuel)

A Andorinha-do-Ártico vive em média 30 anos. No curso de sua vida, suas migrações podem somar 2,2 milhões de quilômetros. Isso é suficiente para ir e voltar três vezes à lua, ou dar 60 voltas ao redor da Terra. É um feito impressionante para um pássaro com pouco mais de 100 gramas.

Refletindo um pouco, chegamos à conclusão que a pequenina Andorinha não somente experimenta os ciclos da natureza, as estações, os ventos... sua própria vida é um ciclo natural que finda ao cabo de trinta viagens.

O ciclo de sua vida biológica tem começo, meio e fim. O contato e o aprendizado desses ciclos e padrões de regularidade da Natureza podem ser, igualmente, encontrados na história do próprio Ser Humano.

Nos primórdios da Humanidade, vivíamos feito caçadores-coletores. Nossa compreensão da Natureza era muito limitada. Predadores ferozes, mudanças climáticas ou condições meteorológicas nos subjugavam completamente. A busca por alimento e pela sobrevivência estava à mercê dos caprichos da sorte.

Depois de muito fugir, muito lutar, o Homo Sapiens começa a observar. Desenvolve uma habilidade inestimável: aprende a reconhecer e a utilizar padrões.

Os padrões das estações do ano o levam a realizar o plantio de determinadas culturas no momento adequado, dando surgimento à agricultura. A compreensão do padrão biológico de algumas espécies animais o levam à domesticação e ao pastoreio.

Aldeias e cidades, civilizações e impérios puderam assim florescer graças à habilidade humana de reconhecer padrões. Uma importante lição foi absorvida:

Obtemos resultados quando fazemos a coisa certa no momento certo. Ninguém planta no inverno, ninguém colhe na estação chuvosa.

Para um cientista, o tempo não possui significado pessoal. Ele é matemático e linear – passado, presente e futuro. No entanto, um filósofo como Bergson[2] compreendeu o tempo como "duração", algo experimentado pela mente, e mostrou que a nossa experiência do tempo é subjetiva – um minuto pode parecer uma hora, ou uma hora pode parecer um minuto, de acordo com a natureza do que foi vivido naquele momento específico.

Seguindo essa abordagem, o psicólogo Carl Gustav Jung, tratando do seu *princípio de sincronicidade*, julgou oportuno atribuir qualidade particular a cada momento do tempo, e essa qualidade ou significado, segundo ele, geralmente seria percebida de modo muito particular por cada pessoa. Assim, ele concluiu que o tempo não transcorre em vão. Percebeu que o tempo guarda consigo o significado, o propósito, a experiência.

Ao meditarmos sobre o tema, somos obrigados a reconhecer que todas as atividades humanas são estruturadas pelos ciclos diários, mensais e anuais, mas frequentemente nos esquecemos de que nossa vida em si, vista como um todo, é também um ciclo que mais dia menos dia chega ao final...

Compartilhamos com as Andorinhas o destino de viver uma série de estações e uma relação de dias. Nossa existência física possui igualmente princípio, meio e fim.

---

2 Henri Bergson foi um filósofo e diplomata francês, de origem judaica, autor da célebre obra *A Evolução Criadora*, na qual desenvolve sua peculiar noção do tempo.

As tradições espirituais e religiosas que floresceram na China milenária, na Índia e nos povos do Crescente Fértil[3] guardam, todas elas, histórias, ensinos e filosofias a respeito do tempo e seus ciclos. Observando a Natureza, seus padrões e regularidades, essas filosofias proporcionaram a compreensão de que o estudo dos ciclos é, em última análise, um estudo profundo sobre o tempo interior, sobre a percepção individual.

Todas essas tradições afirmam, cada uma a seu modo, que a vida humana possui igualmente a estrutura de um ciclo. Compreendida em sua totalidade, a vida de um Ser Humano arquetípico teria a duração simbólica de 84 (oitenta e quatro) anos. Trata-se evidentemente de uma metáfora, um símbolo. No entanto, essa imagem é muito útil para a compreensão das etapas de uma vida humana real, concretamente considerada.

Naturalmente, esses 84 (oitenta e quatro) anos comportam diversas divisões ou subdivisões, dependendo da maneira que forem encarados. Preferimos adotar duas divisões, pela sua simplicidade e naturalidade. Na primeira delas, dividimos esse período total em 04 (quatro) ciclos de 21 (vinte e um) anos, e na segunda delas dividimos em 12 (doze) ciclos de 07 (sete) anos.

---

3 A região do Crescente Fértil compreende as áreas banhadas pelos Rios Jordão, Nilo, Tigre e Eufrates. É também conhecida pelo nome de "berço da civilização", uma vez que nesse território surgiram as antigas cidades da Mesopotâmia, da Assíria, dos Babilônios, bem como Árabes, Hebreus e Egípcios. Em suma, a história da civilização começa nessa região.

O quadro abaixo detalha a primeira divisão do ciclo da vida humana:

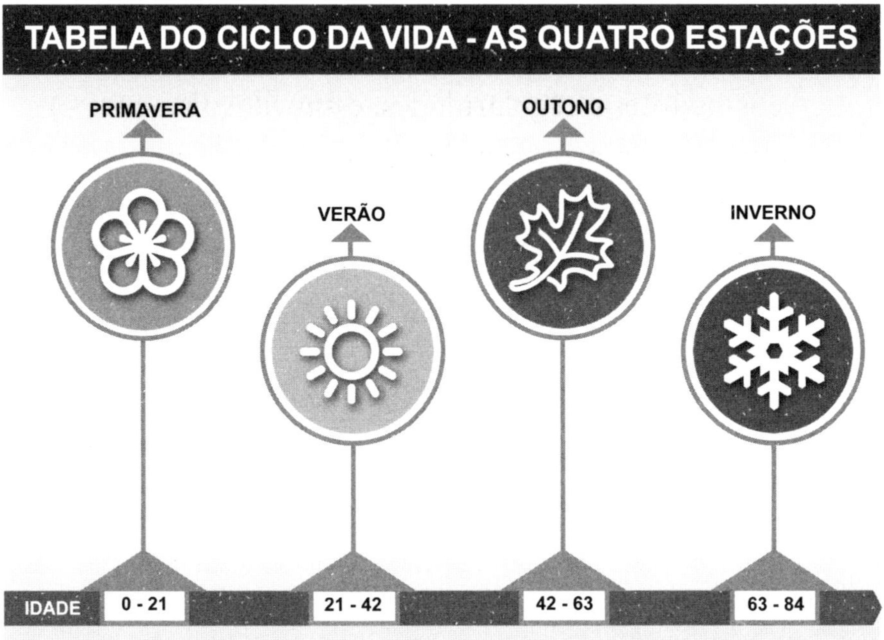

Esses diferentes períodos representam, simplesmente, fases desse ciclo. Do mesmo modo que as estações do ano (primavera, verão, outono e inverno) ou as fases da lua (nova, crescente, cheia e minguante), o ciclo da vida exibe também uma metade crescente e uma metade minguante.

Podemos dizer que na primeira metade desse ciclo experimentamos um impulso para agir, para expandir, para desenvolver. Trata-se de uma fase de extroversão. Na segunda metade do ciclo, experimentamos um impulso para refletir, corrigir, adaptar, regenerar. Trata-se de uma fase de introversão.

Isso explica, em parte, a crise da meia-idade, sentida ou experimentada por volta dos 42 anos. É como se o indivíduo tivesse um pressentimento de que o outono se avizinha.

A metade minguante da vida é tão cheia de significado quanto a metade crescente, mas o significado muda. O psicólogo Carl Gustav Jung expressou essa mudança com as seguintes palavras: "(...) as pessoas que estão envelhecendo deveriam saber que suas vidas já não estão crescendo e se expandindo, mas que um inexorável processo interior força a contração da vida. Se para um jovem é perigoso preocupar-se excessivamente consigo mesmo, para a pessoa que está envelhecendo é um dever e uma necessidade dedicar séria atenção a si mesma (...). O ser humano certamente não alcançaria os setenta ou oitenta anos se esta sua longevidade não tivesse significado para a espécie". (*The Stages of Life*, p. 399)

Na juventude, a onda ascendente da vida é basicamente extrovertida. É uma época de crescimento e expansão em todos os níveis de desenvolvimento humano: físico, psicológico, emocional-mental, sociocultural, individual e espiritual.

Os desafios dessa metade crescente da vida são todos eles extrovertidos: educação, casamento (divórcio), filhos, dinheiro, posição social, profissão, sexualidade. O desafio consiste em eliminar as barreiras que impedem a expansão em todos esses níveis, e isto exige soluções extrovertidas, ou seja, ações concretas no mundo externo.

Após um período simbólico da Lua cheia, tem início a fase descendente, metade minguante do ciclo da vida. Os desafios dessa segunda metade da vida são todos eles introvertidos, exigindo "reavaliação" e "regeneração" de todos aqueles valores apreciados e cultivados na primeira metade do ciclo. Esses valores perdem seu caráter absoluto.

Muitos problemas psicológicos que surgem nessa segunda metade decorrem daquilo que ficou incompleto, ou foi omitido durante a primeira metade. É natural que esses elementos voltem à tona, exigindo nova abordagem. Por essa razão, desenvolvemos o quadro abaixo que fornece detalhamento da segunda divisão do ciclo da vida humana:

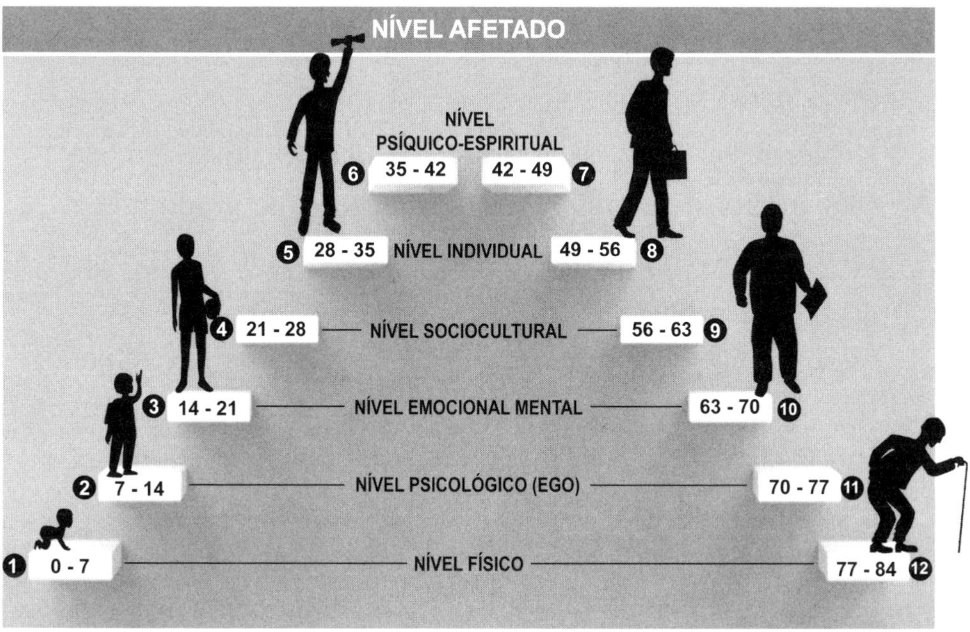

Nesse modelo, é fácil compreender que os eventos, os acontecimentos exteriores possuem importância mais ou menos relativa, variando de pessoa para pessoa, pois dependem do contexto e do "fator idade".

A idade é o recipiente, a vasilha na qual estão contidas as experiências da vida. Eventos semelhantes, ocorridos em diferentes fases de nossa vida, apresentam significados completamente diferentes. Por exemplo: perder-se em um shopping center com a idade de 7 anos, ou com a idade de 21 anos não possuem o mesmo significado.

Assim, a idade da pessoa na ocasião em que ela experimentou o evento é fundamental para a construção do significado daquela experiência.

1. Nível físico ascendente (0 – 7 anos)

O Tema Central desse período é: AUTONOMIA FÍSICA, ORGÂNICA.

Nessa fase, ocorre o desenvolvimento do corpo, de seus órgãos e de seus reflexos psíquicos, de modo que a criança possa viver feito um ser independente. A criança aprende a comer, a andar e a se vestir sozinha. Aprende a falar, a ler, a escrever e desenvolve um raciocínio compatível com a aritmética simples. Recebe, igualmente, seus valores e crenças básicas, oriundos do ambiente familiar.

O material (substância) que será utilizado para a construção dessas estruturas é proveniente da hereditariedade (biológica, familiar e sociocultural), dos elementos sistêmicos presentes na família (constelação familiar), do meio ambiente onde a criança se desenvolve, dos elementos caracterizadores da geração na qual ela nasceu e de suas características inatas.

Os nutrientes físicos (carboidratos, proteínas, vitaminas e sais minerais) e os nutrientes emocionais (amor, estímulo, apoio, proteção), recebidos nesse período, terão forte impacto na formação dessa estrutura biológica e psíquica. Da mesma forma, a ausência ou insuficiência deles terá forte impacto no psiquismo do indivíduo.

Em verdade, tudo aquilo que ocorrer neste período deixará suas marcas profundas.

2. Nível psicológico ascendente (7 – 14 anos)

O Tema Central desse período é: AUTOAFIRMAÇÃO, AUTOEXPRESSÃO.

Nesse período, ocorre a formação do EGO consciente, o desenvolvimento do sentimento do EU. Inicia-se a existência verdadeiramente pessoal, e a criança passa a apresentar ações e reações cada vez mais definidas, cada vez mais individuais, nas quais ela testará seus poderes pessoais por meio de uma autoexpressão ativa.

O princípio da individualidade, o EU, começa a operar mais vigorosamente dentro do organismo, à medida que a criança começa a falar de si mesma cada vez mais na primeira pessoa: Eu quero, eu sei, eu consigo...

No final desse período, esboça-se a adolescência, momento em que o indivíduo passa a expressar sua resistência às limitações impostas pelos pais, professores, autoridades, com o objetivo de se afirmar e delimitar seu espaço individual.

3. Nível mental e emocional ascendente (14 – 21 anos)

O Tema Central desse período é: SEXUALIDADE e RELACIONAMENTO.

Nessa época, ocorre o desenvolvimento mais intenso das faculdades emocional e mental, acompanhada da explosão da sexualidade, de um despertar para relacionamentos afetivos mais íntimos.

Surge a crise da puberdade e um forte desejo de se unir a grupos, amigos, parceiros afetivos, bem como às instituições culturais e/ou religiosas da sociedade. É momento propício para o surgimento do amor idealizado, romantizado, projetado. Surge, do mesmo modo, a percepção de que os pais são adultos falíveis, imperfeitos.

Ocorre, ainda, ampliação dos horizontes e dos interesses do indivíduo, com o descobrimento do seu posicionamento profissional, social, político. É o período da educação mais avançada, do aprendizado da responsabilidade social, da preparação profissional, do ingresso ao ensino superior.

4. Nível sociocultural ascendente (21 – 28 anos)

O Tema Central desse período é: INSERÇÃO SOCIAL E CULTURAL.

Nessa fase, há um imenso esforço para emergir da família, para se separar psiquicamente das influências predominantes no ambiente familiar, bem como para se libertar das pressões do ambiente social.

Ocorre a formação da vida adulta, que pode ser marcada pela escolha da companhia afetiva, pelo desenvolvimento de mais senso de responsabilidade nas relações, assim também pela preparação para o ingresso no mercado de trabalho. Há, muitas vezes, preparação para o casamento e constituição da própria família.

Em regra, percebe-se que esse período é marcado pelo desejo de se inserir no mundo profissional, comercial e cultural do seu tempo, necessidade de se enquadrar na vida da comunidade. Surge o anseio de atender às expectativas dessa mesma comunidade no que diz respeito à profissão, relacionamento, conquistas econômicas, religião.

5. Nível individual ascendente (28 – 35 anos)

O Tema Central desse período é: DESCOBERTA E EXPRESSÃO DA PRÓPRIA IDENTIDADE.

Nessa fase, o indivíduo começa a perceber a contribuição pessoal que pode dar à vida, à sua comunidade, ao seu tempo. Surge igualmente o anseio de afirmar e expressar sua verdadeira individualidade. Ocorre a formação da identidade individual.

A pessoa compreende neste período que cada indivíduo, em potencial, é uma resposta única a uma necessidade do seu tempo. Por isso, é preciso compreender qual o significado original e pessoal de sua própria vida, de seu destino singular. Por outro lado, sente também desejo de usar o legado do passado (hereditário, familiar, espiritual) e pode experimentar uma crise de identidade.

6. Nível psíquico espiritual ascendente (35 – 42 anos)

O Tema Central desse período é: CRISE EXISTENCIAL.

Nesse momento, a individualidade experimenta a culminância dos talentos físicos e pessoais. Normalmente, questões de relacionamento, profissão, inserção social, sexualidade já foram de alguma forma vivenciados, de modo positivo ou negativo.

Nessa fase, a mente atinge um platô, com a estabilização da atividade externa, extrovertida, acompanhada de certo anseio indefinido de confrontar os aspectos interiores, íntimos. A pessoa tem a nítida sensação de que haverá mudança de sentido no fluxo da vida, mudança de polaridade: o movimento que se dirigia para o exterior, inevitavelmente, será conduzido para o interior.

Inconscientemente, inicia-se uma preparação para o ingresso no outono da vida.

Pode surgir a necessidade de decidir claramente o que fazer da vida e ocupar seu próprio lugar, assumindo os anseios mais profundos.

Trata-se da crise da meia-idade, momento em que o externo enfrenta o interno, produzindo tensão e autoconhecimento.

7. Nível psíquico espiritual descendente (42 – 49 anos)

O Tema Central desse período é: BUSCA PELO SENTIDO DA VIDA.

Trata-se da fase introvertida dos processos vividos no período de 35 – 42 anos.

A mente ingressa no outono da vida, o que evoca todas as características dessa estação. Tem início o processo de introversão. O interno passa a ser confrontado pelo indivíduo. Assim, surge a necessidade de descobrir o verdadeiro significado e o valor de tudo o que foi vivido e construído até aquele momento.

Em geral, surge a necessidade de encontrar valor pessoal para os relacionamentos, sem motivações extrovertidas, como aparência, carências; e sem as pressões sociais, especialmente da família.

Uma corrente psíquica subterrânea percorre todo esse período – uma sensação de última chance. Se a pessoa for resistente à mudança, ela pode tentar fugir para um mundo de sonho, ou se afundar no trabalho, nas atividades sociais.

O indivíduo percebe o desaparecimento da geração de seus pais, e o envelhecimento de sua própria geração. A reação natural é a negação, ou a tentativa de prolongar a juventude imitando os jovens do seu tempo.

À medida que a vitalidade física começa a declinar, porém, há um desenvolvimento complementar dos poderes internos.

Somente nas vidas em que o medo e a aflição emocional impedem a pessoa de mudar suas atitudes, fazendo com que ela se rebele insensatamente contra o processo de envelhecimento, somente nesses casos é que a mente também se cansa. Na verdade, é o EGO que se cansa.

8. Nível individual descendente (49 – 56 anos)

O Tema Central desse período é: REVISÃO DA IDENTIDADE.

Trata-se da fase introvertida dos processos vividos no período de 28 – 35 anos.

Percebendo claramente o declínio da vitalidade física, o inexorável processo de introversão, e os sinais incontestáveis do outono da vida, o indivíduo experimenta profundo anseio por regeneração, purificação e limpeza.

Há um retorno das questões de identidade, do destino singular, da contribuição pessoal ao mundo, forçando a pessoa a se redesenhar, a se reinventar. É uma espécie de redescobrimento da própria identidade, mas dessa vez com um grau de maturidade mais refinado.

Retorno da questão de como usar o legado do passado. Pode haver nesse período uma cristalização, em virtude da crença: "Estou velho demais para mudar".

Necessidade de encarar as crises e tragédias que a vida trouxe, a fim de extrair sabedoria, sem se deixar paralisar pelos traumas, pelas expectativas não atendidas, pelas frustrações.

9. Nível sociocultural descendente (56 – 63 anos)

O Tema Central desse período é: REINSERÇÃO SOCIAL E CULTURAL.

Trata-se da fase introvertida dos processos vividos no período de 21 – 28 anos.

Nessa fase, o indivíduo tem segunda oportunidade de reorientar e transformar seus relacionamentos humanos, em geral, bem como seu posicionamento na sociedade em que vive. Transcorrido o período de revisão da sua identidade (49 – 56 anos), ele agora pode se ver melhor, e consequentemente ampliar a sua visão dos outros e do mundo. A partir dessa nova percepção do outro e de si mesmo, torna-se possível escolher com maturidade e sabedoria novo tipo de participação na sociedade, em suas instituições, com uma visão mais crítica dos costumes, crenças e limitações de sua comunidade.

Muitas pessoas se tornam, nesse período, mais sensíveis às necessidades coletivas, sentem necessidade de oferecer uma contribuição mais permanente, mais duradoura. Por esta razão, seu posicionamento profissional, comercial, cultural, religioso costuma sofrer profundas alterações ou reavaliações, tendo em vista o anseio de deixar uma marca perene no mundo.

O relacionamento íntimo e o familiar são também afetados por essas mudanças internas. Muitos buscam atividades religiosas, culturais, trabalhos comunitários como veículos para expressão dessas necessidades.

10. Nível mental e emocional descendente (63 – 70 anos)

O Tema Central desse período é: CRISE DA SEXUALIDADE e DO RELACIONAMENTO.

Trata-se da fase introvertida dos processos vividos no período de 14 – 21 anos.

Nessa época, o declínio da vitalidade torna-se mais intenso, se comparado com as fases anteriores, com expressivas mudanças fisiológicas, psíquicas e sociais, incluindo marcas acentuadas do envelhecimento. Essas mudanças afetam profundamente a sexualidade, e consequentemente o relacionamento afetivo do indivíduo, áreas que precisam de novo significado. É o ingresso no inverno da vida.

Se no período de 14 – 21 anos surgiu a crise da puberdade, nesse momento a energia sexual sofre mudanças significativas, assumindo formas criativas e despertando forte desejo de se unir a grupos, amigos, instituições culturais, religiosas.

Pode haver também o ressurgimento do amor romantizado, idealizado, projetado da adolescência, como tentativa de resgatar a juventude perdida.

Em indivíduos mais maduros, ampliam-se os horizontes e os interesses, com reflexos em sua vida pessoal, social, política, religiosa.

11. Nível psicológico descendente (70 – 77 anos)

O Tema Central desse período é: NECESSIDADE INTENSA DE ATENÇÃO E ADMIRAÇÃO.

Trata-se da fase introvertida dos processos vividos no período de 7 – 14 anos.

Nesse período, a individualidade SELF confronta o EGO, mergulhando a pessoa no oceano das recordações de sua infância, juventude e maturidade, como movimento psíquico de síntese, de resumo, de reavaliação construtiva. Surge, assim, a necessidade de falar de si mesmo, contar histórias do passado, ressignificar acontecimentos vividos, reavaliar a infância e o papel dos pais na vida.

Pode também ocorrer uma cristalização de atitudes com a retomada de posicionamentos típicos, representados pelas frases: Eu quero, eu sei, eu consigo... muito similares ao período correspondente (7 – 14 anos).

A necessidade de se afirmar e delimitar seu espaço individual agora deverá confrontar, nas marcas irrecusáveis do inverno da vida, encarando de forma criativa o chamado interior ao recolhimento e à reflexão.

12. Nível físico descendente (77 – 84 anos)

O Tema Central desse período é: LIMITAÇÃO FÍSICA, ORGÂNICA.

Trata-se da fase introvertida dos processos vividos no período de 0 – 7 anos.

Nessa fase, a fragilidade do corpo, dos seus órgãos e dos reflexos psíquicos força o indivíduo a redefinir sua essência e seu valor a partir de novas premissas que não sejam exclusivamente materiais, orgânicas, corporais.

A demanda por nutrientes físicos (carboidratos, proteínas, vitaminas e sais minerais), e os nutrientes emocionais (amor, estímulo, apoio, proteção) é mais intensa, acarretando maior ou menor grau de dependência dos familiares ou cuidadores.

Em virtude do aprofundamento da estação do inverno, a morte passa a ocupar os pensamentos e reflexões, do mesmo modo a ideia da imortalidade, da sobrevivência, reforçando o processo de interiorização.

Muitas pessoas, com o avanço atual da ciência e da medicina, ultrapassam os 84 anos de idade, levando-nos a refletir que, nesses casos, o processo se reiniciaria, em outro patamar, mas percorrendo os mesmos degraus acima expostos. No entanto, esse estudo é muito interessante, mas não será feito nesse momento.

Conclusão

No primeiro capítulo, nosso objetivo era observar e compreender os padrões de regularidade da Natureza, aprender a arte da migração, tomando por modelo a maratonista ideal – a Andorinha-do-Ártico. Nossa meta era aprender a enfrentar os períodos de crise e desafio com mais habilidade e sabedoria.

Nesse capítulo, nossa intenção foi demonstrar que, antes de iniciar o planejamento de qualquer viagem, um bom piloto sempre se pergunta: Quanto tempo de voo?

A vida humana é também uma desafiadora viagem. Sendo assim, qualquer planejamento deve levar em conta a idade e a fase específica (fator idade) na qual nos encontramos. Tudo o que fizermos será feito dentro dessa moldura básica – o fator idade. Todas as "viagens", "migrações" ou "deslocamentos" devem levar em conta esses ciclos presentes na vida humana.

Nosso maior compromisso, sem dúvida, deve ser o de nos tornarmos, o mais plenamente possível, aquilo que somos potencialmente. Todavia, a duração de nossa vida representa elemento determinante: a vida física possui começo, meio e fim.

Desse modo, todas as decisões importantes ou pontos decisivos de nossa vida podem ser avaliados em função do fator idade, que fornece uma dimensão adicional, um significado mais pessoal, um significado que está acima e além do próprio evento em si.

Diversas experiências podem ser examinadas em função da idade em que o indivíduo passa: o casamento, o divórcio, a profissão, doenças graves, a perda do pai ou da mãe, o nascimento dos filhos, conversões religiosas, engajamento social.

Nesse exame, percebemos claramente que a tabela dos ciclos da vida, em função da idade, fornece uma moldura básica dentro da qual os acontecimentos, eventos, circunstâncias serão experimentados e receberão um significado por parte do indivíduo.

O fator idade não revelará o sucesso ou fracasso de um empreendimento, ou se um evento terá ou não um final feliz, até porque essa avaliação é muito subjetiva; o que o fator idade indica é o papel que o evento desempenhará no desenvolvimento total da vida de um indivíduo.

Esse fator idade nos ajuda a compreender que cada existência humana é uma jornada estruturada, repleta de sentido, e cada acontecimento é um elemento que integra essa teia de significado. Há, porém, o dia da chegada e o dia da partida.

03
A consciência cocriadora

A principal tarefa do homem na vida
consiste em dar à luz a si mesmo,
em se tornar aquilo que
potencialmente ele é.
(Erich Fromm)

Aprendemos que o voo migratório da Andorinha-do-Ártico exige apurado senso de orientação e navegação. Afinal, ninguém vence anualmente 71.000 km sem habilidades e faculdades especiais.

Ela conta com múltiplos recursos sensoriais que lhe fornecem indicações seguras sobre localização, intensidade e duração diária da luz solar, movimento das estrelas, fases e ciclos da Lua, ciclo das correntes marítimas, diferentes odores no ar, referenciais geográficos no solo e o surpreendente mecanismo que a torna capaz de enxergar as linhas do campo geomagnético do planeta.

Para que tantos recursos? Com qual finalidade esses recursos são acionados nessa pequenina ave logo após seu nascimento? Qual fator externo serve de gatilho para que tudo isso venha à tona?

Uma resposta direta e simples? O INVERNO.

A migração é uma resposta à crise do inverno.

Esse deslocamento não precisa ser, necessariamente, físico. Pode ser um deslocamento psicológico, uma mudança de mentalidade, mudança de emoções, nova leitura sobre a vida e sobre nós mesmos. Mas é sempre uma mudança.

No vocabulário chinês há uma sábia palavra para nomear crise: *Wei-Chi*, uma combinação de duas outras palavras, perigo *Wei* e oportunidade *Chi*.

Sabemos que é impossível viver profundamente sem experimentar dor, sem atravessar tempos de crise, colapso, mudança ou ruptura. Embora tudo isso seja inevitável, nem sempre somos capazes de perceber o papel que a crise e a dor desempenham no processo de crescimento e evolução do indivíduo.

Por esta razão, enquanto algumas pessoas desabam completamente e nunca mais se recuperam quando atravessam o período de crise, outras superam essa fase, saindo renovadas e transformadas das reviravoltas e conflitos da vida. Para uns a crise representou perigo, para outros oportunidade.

Qual a diferença? Por que as pessoas reagem de maneira tão peculiar?

Evidentemente, é bastante humano recuar diante de situações dolorosas, desejar ardentemente que tudo volte a ser do jeito que era antes, ou simplesmente recusar a mudança.

No entanto, podemos alterar nossa leitura dos acontecimentos e compreender a crise como uma virada, um estágio ou degrau crítico de nosso desenvolvimento – a possibilidade de algo novo acontecer, a transformação.

Albert Schweitzer[4] disse certa vez: "A maior descoberta de qualquer geração é a de que os seres humanos podem alterar suas vidas alterando suas atitudes mentais".

De modo semelhante às aves migratórias, o Ser Humano também vem equipado com uma série de recursos biológicos, psíquicos e anímicos que o torna apto a enfrentar, ao longo de sua vida, imenso conjunto de situações muito mais complexas do que aquelas enfrentadas pelas Andorinhas.

O que, então, nos paralisa, nos bloqueia?

---

4 Albert Schweitzer nasceu na Alsácia em 1875. Tornou-se teólogo, filósofo, músico e humanista. Em sua época, foi considerado um dos maiores intérpretes de Bach no órgão. Publicou renomadas obras teológicas, incluindo uma historiografia de Jesus. No entanto, seu trabalho humanitário na África seria sua grande marca, dado o desprendimento e dedicação com que foi realizado.

Acreditamos que duas coisas: primeiramente, estamos excessivamente focados no exterior; em segundo lugar, temos muito pouco autoconhecimento.

Examinemos o excessivo foco no exterior.

Há um ditado espiritualista que afirma: "Não é o evento que acontece à pessoa, mas a pessoa que acontece ao evento". Um indivíduo se encontra com determinados eventos porque necessita deles para se tornar mais completo. Nesse sentido, a vida se desdobra diante dos nossos olhos, mas também desdobra dentro de nós aquilo que ainda não pode ser visto, aquilo que existe em estado potencial.

Nessa perspectiva, os eventos e circunstâncias exteriores apenas interagem com nossos anseios inconscientes de completude. A vida colabora, nem sempre de modo agradável, para que nos tornemos efetivamente aquilo que somos apenas em potencial.

Em resumo, nós atraímos as coisas necessárias ao nosso crescimento.

Por outro lado, nossa atitude diante da dor e da crise afetam profundamente o modo pelo qual atravessaremos tais períodos.

Para uma pessoa altamente consciente, basta uma pequena sugestão, um evento simples, uma experiência corriqueira, a fim de que ela aprenda determinada lição, ou alcance certa compreensão da situação. Alguém menos consciente, porém, necessita de experiências exteriores mais concretas, mais objetivas e, às vezes, mais dolorosas, para chegar ao mesmo grau de compreensão.

Há outro aspecto de nossa atitude que também precisa ser analisado: os eventos e circunstâncias que a pessoa enfrenta ao longo de sua vida dependem, em grande parte, daquilo que ela frequentemente expressa, exterioriza. Em outras palavras,

você recebe de volta aquilo que põe para fora, pois todas as coisas voltam para sua fonte.

Se alguém expressa impaciência ou orgulho, por exemplo, automaticamente fará surgir reações semelhantes nas pessoas ao seu redor. Nesse sentido, não é saudável culpar os outros pelos infortúnios que criamos. Por essa razão, examinaremos agora a questão do "conhece-te a ti mesmo".

Quando o assunto é autoconhecimento, todos são unânimes em ressaltar a sua importância. A maioria das pessoas, porém, se sente feito um adolescente que entra no seu quarto todo revirado, com tudo fora de lugar, e se pergunta: Por onde começar?

Nossas mães diriam: cada coisa em seu lugar, uma coisa de cada vez. No entanto, quando se trata de autoconhecimento, a dúvida a respeito de "por onde começar" é legítima e revela um grande desafio tanto na filosofia quanto na psicologia.

O próprio Sigmund Freud declarou a Hereward Carrington, no verão de 1921, ao aproximar-se do fim de sua carreira: "Se eu fosse viver de novo, eu me dedicaria *à pesquisa psíquica* mais do que *à psicanálise*" (Jones, Ernest; *A Vida e a Obra de Sigmund Freud*, vol. III, Rio de Janeiro, Imago Ed., 1989, p.384).

A imensa quantidade de teorias psicológicas, de teorias sobre a natureza humana, de abordagens filosóficas, tudo isso acaba por dificultar os planos modestos de alguém que quer apenas aumentar seu grau de conhecimento sobre si mesmo.

Nosso propósito, porém, é bem modesto. Desejamos apenas um mapa, um inventário dos potenciais, das funções psíquicas, das necessidades e anseios humanos, de modo a favorecer o nosso tão sonhado autoconhecimento.

Assim, precisamos elaborar pequeno inventário dos nossos recursos interiores, lembrando as faculdades e habilidades da Andorinha-do-Ártico.

Nossa intenção é mapear os recursos internos do Ser Humano, de modo a favorecer nossa migração pessoal nos momentos de crise.

Para termos ideia do que seriam esses recursos internos, podemos pensar, igualmente, em um avião que realiza voos comerciais. Visto que o Ser Humano não pode voar por conta própria, pois depende do auxílio dessas aeronaves para cruzar os ares, é bem útil conhecer os recursos dessa embarcação moderna.

A imagem dessa máquina ilustra bem os seus recursos.

LOCALIZAÇÃO DE SUPERFÍCIES DE CONTROLE DE VOO

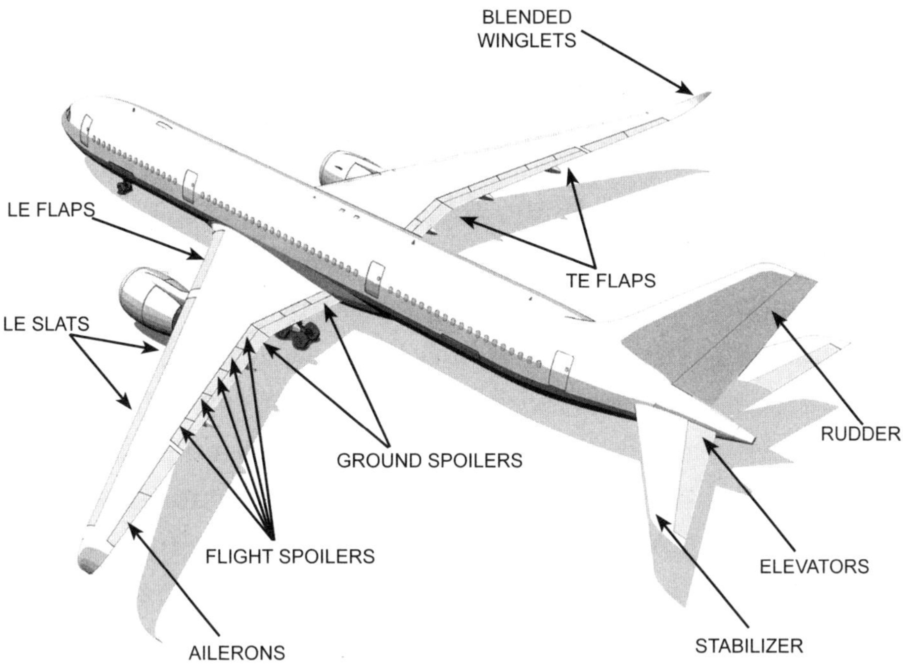

Temos como superfícies primárias de voo: as asas, o estabilizador horizontal (pequenas asas traseiras), e o *Rudder* ou leme de direção (a asa da cauda que fica na vertical). Nas asas temos os *Ailerons* (controlam as curvas), os *TE Flaps, LE Flaps, LE Slats* (permitem voos em velocidades mais baixas, usados nas decolagens e pousos), os *Spoilers* (auxiliam na redução de velocidade, perda de altitude e sustentação), e os *Elevators* (atuam na estabilidade do voo e nos movimentos de subida e descida do avião). Há inúmeros outros recursos, mas acredito que é o suficiente para termos uma ideia.

E o Ser Humano? Quais são seus recursos interiores? Há como construir esse inventário de modo simples e objetivo?

Aceitamos esse desafio e elaboramos um singelo mapa, um guia simples que facilite a identificação de nossos principais recursos interiores, nossas principais funções psíquicas, nossos anseios e necessidades primárias.

É claro, não pretendemos fundar uma escola filosófica, ou nova corrente da psicologia. Há estudiosos e especialistas no assunto que nasceram para isso. Apenas colhemos na tradição do mundo oriental algumas contribuições para elaborar esse inventário de recursos. Ele está longe de ser completo, ou de esgotar o assunto, mas é um bom começo...

Partimos da premissa de que o Ser Humano precisa ser visto em seu tríplice aspecto: **pessoal**, **social** e **transpessoal**. Além disso, consideramos que a mente pode ser interpretada como um organismo, um corpo, com suas funções, sistemas e órgãos, cada qual desempenhando um papel importante para a sobrevivência e evolução daquele organismo, tais quais o sistema digestivo, respiratório, reprodutor...

Cada uma dessas dimensões psíquicas podem ser examinadas como **Funções, Impulsos/Anseios** e **Necessidades**. E além disso, elas podem se expressar de modo **positivo** ou **negativo**.

Vamos examinar agora cada um desses três aspectos e seus desdobramentos.

Potencialidades de cunho pessoal

O Ser Humano possui potencialidades ou características de cunho pessoal, que dizem respeito à sua individualidade, à sua constituição física e mental, envolvem suas relações familiares e interpessoais. Trata-se da base de nossa vida, nosso círculo íntimo e privado. São elas:

Ser

Todas as pessoas experimentam um senso de individualidade, de identidade, um modo de ser e de perceber a vida. Essa função psíquica diz respeito ao nosso senso de individualidade, nossa vitalidade, autonomia, à construção de identidade autêntica e genuína, bem como nossa capacidade de emancipação. Representa o anseio de ser, expressar-se, emancipar-se, e o impulso para a individualização. Indica nossa necessidade de autoexpressão, reconhecimento e destaque. Quando essa função se expressa no indivíduo de modo saudável, ele apresenta individualidade autêntica, calorosa, autônoma, e consegue atingir significado, propósito e alegria pessoal. Todavia, quando essa mesma função se expressa de forma negativa surgem o orgulho, a arrogância, o desejo excessivo de destaque, assim também a perda de significado, propósito e alegria pessoal.

Para investigar de que modo essa função opera em cada um de nós, elaboramos as seguintes perguntas que irão guiar nossa busca por autoconhecimento. Essas questões serão elaboradas para cada uma das dez potencialidades.

Questões: Como você experimenta ou vê seu pai? Qual é sua imagem do "masculino"? Que caminho você precisa seguir para desenvolver um ego saudável e um senso de individualidade? Pelo que você precisa lutar, se esforçar para conquistar? Que qualidades você precisa adquirir para se sentir completo e realizado? O que precisa acontecer ou ser feito para que ocorra a expressão e irradiação de suas qualidades pessoais? O que você precisa fazer para se sentir bem-sucedido ou para se destacar?

Sentir/reagir

Todas as pessoas possuem uma maneira de reagir emocionalmente e espontaneamente, uma necessidade de cuidado, segurança, proteção e nutrição afetiva. Essa função psíquica diz respeito ao nosso padrão interno de instintos, emoções e sentimentos. Revela nossas reações emocionais inconscientes, nossa autoimagem, nosso grau de empatia e sensibilidade ao outro, pois a imagem que tenho de mim afeta a imagem que tenho do outro. Representa o impulso para experimentar novamente a fusão com o útero materno, e por consequência o impulso para a fusão com o semelhante, traduzindo anseio de segurança emocional, obtida nos relacionamentos com maior grau de profundidade e interação. Indica, igualmente, nossa necessidade de cuidar e ser cuidado, de participar e de pertencer, necessidade de nutrição e apoio emocional. Quando essa função se expressa no indivíduo de modo saudável, ele apresenta uma boa dose de adaptabilidade e receptividade, além da capacidade de prover a si mesmo e aos outros em nível afetivo e emocional. No entanto, quando essa mesma função se expressa de forma negativa surgem a sensibilidade exagerada, a baixa autoestima, a insegurança e a incapacidade de cuidar tanto de si mesmo quanto do outro.

Questões: Como você experimenta ou vê sua mãe? Qual é sua imagem do "feminino"? Como você é enquanto progenitora ou mãe? Como você provê ou gosta de ser provido? Como você cuida e gosta de ser cuidado? Como você descreveria sua natureza emocional? Como você responde instintivamente? Como reage a eventos e ao ambiente? O que lhe traz conforto e segurança? O que você gosta de fazer para descansar? Como é sua vida doméstica? Espontaneamente, como você reage? Qual o seu grau de empatia, como reage prontamente aos sentimentos dos outros?

Pensar/comunicar

Todos possuímos habilidade para pensar, raciocinar, trocar ideias e nos comunicar com outras pessoas. Essa função psíquica diz respeito ao padrão de funcionamento de nossa mente lógica e racional, e define o modo como pensamos, aprendemos, percebemos e digerimos a experiência, assim também a maneira que nos comunicamos, trocando ideias e informações. Está ligada à nossa capacidade de captar e ler o ambiente. Representa o impulso para nos comunicar e interagir, em nível da mente e das ideias, assim também o impulso para expressar nossas percepções, nossa inteligência. Indica ainda nossa necessidade de interação mental, de conhecimento, de aprendizado. Quando essa função se expressa na pessoa de modo saudável, temos o uso criativo da inteligência, o raciocínio claro, o poder de discriminação e análise, a compreensão objetiva e a expressão verbal clara e respeitosa. Porém, quando essa mesma função se expressa de forma negativa surge o intelectualismo insensível, amoral, soberbo, a má utilização da inteligência para prejudicar os outros e a comunicação opiniática e parcial.

Questões: Que tipo de assuntos ocupam frequentemente sua mente? O que você costuma notar e captar no ambiente com mais frequência? Em que área de sua vida você se sente inquieto, necessitado de variedade, mudança ou espaço para se mover? Em qual área você utiliza a inteligência e a habilidade de comunicação para ser enganador, ardiloso, astuto ou para distorcer a realidade em seu próprio benefício? Como você lida com o inesperado, com o acidental, com a coincidência ou sincronicidade? O que você precisa fazer de divertido para que sua criança interior se sinta feliz? Quais são suas habilidades artesanais, manuais?

Gostar

Todo Ser Humano possui um modo de expressar afeição, de se dedicar ao outro, de apreciar e sentir-se apreciado, uma necessidade e uma capacidade para o amor e o relacionamento íntimo. Essa função psíquica diz respeito ao padrão de valores, desejos, gostos, afinidades e preferências individuais. Diz respeito ao nosso senso estético, amor-próprio, autoestima e ao modo como permutamos afeto. Representa o impulso para o social e o amoroso, anseio por expressar afeições, gostos e preferências, bem como o anseio por beleza, harmonia, satisfação, conforto e nosso anseio por prazer. Indica também nossa necessidade de experimentar prazer, beleza e satisfação por meio dos sentidos físicos e ainda a necessidade de conquistar e usufruir as coisas que valorizamos. Quando essa função se expressa na pessoa de modo saudável, temos alguém que assume seus valores, gostos e preferências, é sociável, amoroso e apto para a permuta afetiva e expressa beleza, harmonia e satisfação. Porém, quando essa mesma função se expressa de forma negativa surge o desconhecimento dos próprios valores, gostos e preferências, exibindo uma espécie de inibição afetiva, cobiça, autoindulgência, além de apresentar exigências emocionais descabidas.

Questões: Quais são meus valores, gostos, preferências e afinidades? O que mais valorizo e estimo na vida? Que qualidades você valoriza, acha atraente ou preza nas pessoas e nas coisas? Por qual área da sua vida você se sente atraído em busca de satisfação, beleza e prazer? O que você julga belo e desejável? O que precisamos criar em nossas vidas para sentir que temos algum valor, para construir autoestima e amor-próprio? O que gostaríamos de ter ou receber para conquistar mais autoestima e felicidade? Meu amor-próprio é saudável, suficiente, maduro? Qual parte de seu ser você projeta e valoriza no outro, especialmente no ser amado?

Agir

Todos os indivíduos possuem um modo de se afirmar, de expressar seus desejos, um impulso para a ação e para a autodefesa, uma sexualidade específica. Essa função psíquica diz respeito ao padrão do impulso sexual e da agressividade do indivíduo, a força que nos permite crescer e dominar o mundo exterior: a vontade, a autoafirmação, a assertividade e a autodefesa. Representa o impulso para agir, para compreender e dominar o mundo exterior, para adquirir novas habilidades, bem como o impulso sexual, agressivo, de autoafirmação, de assertividade e autodefesa, o anseio de se impor. Indica também nossa necessidade de expressar a própria agressividade (de forma saudável ou adoecida), necessidade de se autoafirmar, de se impor, de se defender, de dominar, domar, controlar; necessidade de vivenciar a própria sexualidade, bem como de estímulo e excitação física, corporal. Quando essa função se expressa na pessoa de modo saudável, temos a coragem, a força de vontade, a iniciativa, o controle da agressividade e o impulso sexual equilibrado. Porém, quando essa mesma função se expressa de forma negativa surge a violência, o descontrole da agressividade e do impulso sexual, a obstinação agressiva, a impaciência, a ansiedade.

Questões: De que modo você se manifesta, ou se afirma? Como você busca aquilo que deseja? Como você afirma e expressa sua identidade, seu poder, sua potência? Como você expressa e afirma seu impulso sexual? Onde precisamos desenvolver a habilidade de dominar o mundo exterior, a vida? Em que situações você se mostra agressivo, impaciente, com raiva? Que tipo de raiva leva você à depressão e à doença? Em que área da vida você tenta impressionar os outros com seu poder, sua sensualidade?

Potencialidades de cunho social

Além das potencialidades ou características de cunho pessoal, o indivíduo possui anseios e necessidades de cunho social. Ele deseja fazer parte do mundo, participar das atividades sociais, integrar-se à comunidade.

Prosperar

Todos trazemos em nosso íntimo potencial para o progresso, para o desenvolvimento, a prosperidade, o sucesso, a expansão; confiança inata na vida, além de ética, nobreza, altruísmo, senso de aventura e disposição para correr riscos. Essa função psíquica diz respeito ao padrão de crenças socialmente adquiridas, à visão de mundo, à filosofia de vida e ao modo como a pessoa se expande, cresce, se desenvolve e prospera. Aponta também para a espiritualidade e religiosidade vivida em nível social e coletivo, além de indicar o modo como a pessoa expressa fé, confiança e otimismo. Representa o impulso para se ligar, no âmbito social, a algo maior que o indivíduo (causa, movimento, instituição); o impulso para o crescimento, a expansão, a prosperidade e para correr riscos; representa também o anseio de atribuir e encontrar um significado e um sentido para a vida, bem como o impulso em direção ao futuro. Indica também nossa necessidade de crescimento, aperfeiçoamento e expansão; necessidade de confiar, de acreditar em algo; necessidade de dar sentido à vida através de uma filosofia de vida ou sistema de crenças. Quando essa função se expressa na pessoa de modo saudável, temos a fé, a confiança, o otimismo, o equilíbrio na expansão e no crescimento; temos a prosperidade legítima, que beneficia não somente o indivíduo, mas a comunidade na qual está inserido. Porém, quando essa mesma função se expressa de forma negativa surge a dispersão, a confiança exagerada e pueril, o crescimento irresponsável; a expansão exagerada, sem sustentabilidade; surge a prosperidade individual às custas do prejuízo alheio.

Questões: Quais são suas crenças? Qual a sua visão de mundo, sua filosofia de vida? Como é sua religiosidade? Como se manifesta sua espiritualidade? Qual a sua visão do futuro? Em que você confia? Que aspectos em uma pessoa lhe transmitem confiança? Em que área da vida você gostaria de se expandir? O que é prosperidade para você? Qual o sentido da vida para você?

Preservar

Ao lado da expansão, toda pessoa busca também a aprovação social, a segurança financeira, a estabilidade, a manutenção das tradições, além de possuir, em maior ou menor grau, senso de disciplina, hierarquia, esforço e persistência. Essa função psíquica diz respeito ao padrão interno que conferiu forma, limite e estrutura ao nosso EGO; aponta também para o sistema de defesa desse EGO (pensamentos, sentimentos e comportamentos) que constrói, estabiliza e mantém nossa personalidade. Representa o impulso para a conservação, para a manutenção em todos os níveis (individual, social e espiritual); o impulso para defender a estrutura e integridade do EGO, ou seja, os pensamentos, sentimentos e comportamentos que constroem, estabilizam e mantêm a nossa personalidade. Representa também a tradição e o conservadorismo. Indica ainda nossa necessidade de manter, de preservar, de conservar nosso modo de ser, de viver, conservar nossas crenças, hábitos e valores; necessidade de aprovação social, de segurança material, de preservação dos valores sociais e culturais. Quando essa função se expressa na pessoa de modo saudável, temos a disciplina, o esforço metódico, o senso dos deveres e responsabilidades; o cuidado com a organização e o respeito à ordem e a hierarquia. Porém, quando essa mesma função se expressa de forma negativa surge o apego excessivo a rotinas, métodos e regras, à rigidez; ocorre ainda a valorização excessiva da hierarquia, trazendo frieza, desconfiança, pessimismo, medo e negatividade.

Questões: Que elementos você quer preservar em sua vida? O que você não quer que mude de jeito nenhum? Você é disciplinado? Qual sua relação com a hierarquia, as tradições e as instituições de controle e autoridade na sociedade? Que características você abomina em uma pessoa? O que você não se permite fazer? Em que área da vida você experimenta limitações, sacrifícios? Qual área de sua vida demanda esforço permanente e sem fim?

Potencialidades de cunho transpessoal

Por fim, trazemos em nosso íntimo os potenciais que nos permitem experimentar as dimensões transcendentes da vida; forças imponderáveis que acarretam mudança, transformação interior, aprimoramento espiritual. São os fatores transpessoais, as energias transformadoras que operam dentro da vida e dentro de nós mesmos.

Mudar

Todo Ser Humano busca a mudança, a variedade, a renovação. Essa função psíquica diz respeito ao padrão de progresso e mudança de nossa mente, bem como o modo que o indivíduo lida com a mudança e a ruptura. Revela o nosso poder cocriador e inovador, nossa intuição e criatividade. Representa o impulso para a variedade, a mudança e a ruptura; o anseio de progresso disruptivo, inovador. Indica ainda nossa necessidade de libertação e independência com respeito às tradições pertinentes à nossa geração, necessidade de variedade, mudança, originalidade, criatividade; necessidade de excitação e expressão sem repressão. Quando essa função se expressa na pessoa de modo saudável, temos a liberdade, a originalidade, a criatividade, a intuição, a sintonia com a verdade, ao lado da capacidade de fazer mudanças e de mudar. Porém, quando essa mesma função se expressa de forma negativa surge o extremismo, a rebelião, a ansiedade como fruto da necessidade constante de excitação e movimento, a inquietação e principalmente a constante busca por mudança sem um propósito definido (síndrome do camaleão).

Questões: Como se expressa sua criatividade? Em que área da vida você é mais criativo? Em que área da vida você necessita de variedade e mudança permanente? Em que área da vida você se sente descontente ou inquieto? O que é liberdade para você? Você aprecia inovação, progresso, tecnologia? Como você lida com mudanças, com rupturas?

Transcender

Toda pessoa busca, em algum grau, escapar das limitações do mundo material e possui uma sede de transcendência, de comunhão e unificação com todos os seres, uma necessidade de mergulhar no todo, revivendo a experiência do útero materno. Essa função psíquica diz respeito ao padrão de dissolução das fronteiras psíquicas; mostra as faculdades espirituais e a consciência profunda de unidade com a vida. Representa o impulso para a Unidade, a integração com o todo; o anseio de pertencimento universal e sem fronteiras, ou anseio de transcender às fronteiras do EGO; o impulso para o místico, o espiritual, o psíquico. Indica, igualmente, nossa necessidade de dissolver e transcender ao EGO, a necessidade de dissolver as fronteiras e obstáculos que impedem o acesso à experiência inata de unidade; fala ainda de nossa necessidade de compaixão, necessidade de nos sacrificarmos por algo, por alguém ou por alguma causa. Quando essa função se expressa na pessoa de modo saudável, temos o idealismo, a sintonia com o todo, a compaixão abrangente; a presença da espiritualidade e religiosidade madura, assim também compreensão e sintonia com a dimensão espiritual da vida. Porém, quando essa mesma função se expressa de forma negativa surge o misticismo, o fanatismo, a ilusão e o escapismo autodestrutivo.

Questões: Qual a sua capacidade de concentração? Como se expressa a sua imaginação? Qual a sua sensibilidade ao espiritual, ao transcendente, ao inconsciente? Qual seu grau de empatia? Como você expressa sua compaixão pelo sofrimento humano? Como você lida com a renúncia? Em que área da vida você se perde em devaneios e fantasias, sem contato com a realidade concreta?

Regenerar

Todo indivíduo busca, de forma consciente ou inconsciente, a purificação emocional, psíquica e espiritual, a transmutação, o renascimento e/ou refinamento do próprio ser. Essa função psíquica diz respeito ao padrão de catarse de nossa mente, a força regeneradora e purificadora da vida; constitui a chamada Justiça Imanente (Lei na Consciência); um padrão de equilíbrio e autorregulação da própria mente. Representa o impulso para regeneração da psique, para a integração das partes sombrias, reprimidas e negadas de nosso psiquismo; o anseio de purificação e catarse emocional. Indica também nossa necessidade de integração, harmonia e equilíbrio da mente; necessidade de catarse dos conteúdos reprimidos, negados ou desconhecidos de nossa mente. Quando essa função se expressa na pessoa de modo saudável, temos a profundidade e a intensidade emocional;

o reconhecimento e a gestão de nossas compulsões; o poder interior, o autoconhecimento. Porém, quando essa mesma função se expressa de forma negativa surge a manipulação, a compulsão, a impiedade e o fascínio por dominar o outro.

Questões: Quais aspectos de sua personalidade você rejeita? Qual é a sua sombra? Qual a parte bruta, primitiva e instintiva de sua personalidade você não reconhece? Qual o seu lugar na vida? Quais são seus limites? O que está excessivo em sua alma, o que precisa ser equilibrado? Do que a sua consciência lhe acusa? Em qual área de sua vida você está sendo convidado ao desapego? Em que área da vida você está lidando com o término, com a morte (fim de uma fase, de uma amizade, de um relacionamento, de uma carreira, de uma condição econômica ou social)?

Conclusão

Nenhuma das três dimensões **pessoal, social** e **transpessoal** pode ser negligenciada sem algum tipo de prejuízo para a formação e estabilidade psíquica do indivíduo.

Por esta razão, saber o que nos deixa felizes GOSTAR, expressar isso para os outros PENSAR/COMUNICAR, e ficar firmes diante da oposição AGIR representam saúde mental. Aqui vale a regra de ouro: "Amar ao próximo como a si mesmo".

Se não pudermos ser um indivíduo livre, independente e autônomo SER, como reconheceremos a individualidade e a autonomia dos outros?

Se não pudermos ser espontâneos, expressar nossas emoções irracionais, se não pudermos buscar segurança, alimento emocional e afetivo SENTIR/REAGIR, como seremos capazes de acatar as emoções, inseguranças e carências do semelhante?

Se não pudermos nos expressar, se não tivermos nossos próprios pensamentos e atitudes PENSAR/COMUNICAR, como seremos capazes de ouvir outra pessoa, respeitar seu modo de pensar?

Se não pudermos expressar nossos gostos, preferências, nossa beleza, se não nos valorizarmos GOSTAR, como poderemos encontrar a beleza ou o valor do próximo?

Se não pudermos agir, defender nossos interesses e nossas vidas, sermos assertivos, afirmativos quanto ao nosso modo de ser AGIR, como seremos capazes de acatar e respeitar o direito que o próximo tem de se expressar, de se afirmar, de ser ele mesmo?

Além disso, não somos seres exclusivamente individuais. Vivemos em sociedade, somos gregários, necessitamos de uma comunidade, de uma sociedade para expressar nossos mais altos potenciais. Necessitamos de expansão, progresso, prosperidade, conjugada com ética, nobreza, altruísmo PROSPERAR, sob pena de vivermos uma vida egocêntrica, socialmente irrelevante. Ao mesmo tempo, precisamos de segurança, estabilidade social, tradições, hierarquia, disciplina, ordem PRESERVAR, a fim de que nossa vida pessoal não se converta em puro subjetivismo, voluntarismo e anarquia.

Entretanto, há algo mais...

Filósofos e místicos, sábios e poetas, religiosos e pensadores são unânimes em afirmar que há certa coisa, um núcleo interior – podemos chamá-lo de Destino, Providência Divina, Lei Natural, Inconsciente, Karma, não importa – que reage quando se transgride seus limites ou quando é negligenciado, que parece possuir um tipo de conhecimento abrangente não somente sobre aquilo que o indivíduo necessita, mas até mesmo sobre o que ele vai necessitar no desenrolar de sua vida. Eu não tenho a pretensão de saber o que é essa coisa... mas não me envergonho em dizer que gosto de chamá-la de consciência de Deus em nós.

Nosso EU profundo (consciência) nos coloca num contínuo processo de desdobramento, ele nos reserva, em qualquer ponto de nossas vidas, experiências necessárias ao nosso aperfeiçoamento. Ele representa aquela parte de nós que guia e revela nosso aprimoramento espiritual. Se não ouvirmos ou não aceitarmos o padrão de crescimento proposto por nosso EU interior, o mais provável é que atraiamos eventos ou circunstâncias externas para nossas vidas, situações que irão forçar nossa mudança e nossa adaptabilidade à vida.

Algumas vezes, fica muito claro o que nosso EU profundo pretende nos ensinar. Outras vezes, as razões pelas quais ele nos faz passar por períodos de crise e dor nem sempre são óbvias ou diretas. Não acredito que o EU interior queira apenas nos torturar, sem qualquer propósito, a não ser o prazer sádico. Não é dessa forma que nosso EU (consciência) funciona. O seu propósito é dirigir e supervisionar nosso completo desenvolvimento espiritual.

Por esta razão, temos necessidade de mudança, excitação, originalidade e criatividade MUDAR; um impulso para escapar das limitações físicas, do mundo material, sede de transcendência TRANSCENDER; bem como necessidade de purificação emocional, psíquica e espiritual, anseio por transmutação, renascimento e refinamento do próprio ser REGENERAR.

Essas potencialidades ou funções psíquicas podem receber direção positiva ou negativa, dependendo da maneira que o indivíduo as conduz. Pensemos em um grupo de cavalos de corrida. Eles precisam ser domados, disciplinados, conduzidos...

A Andorinha-do-Ártico conhece seus recursos e sabe utilizar cada um deles durante a migração. O piloto da aeronave conhece os instrumentos disponíveis para realizar a viagem aérea.

Agora você também conhece quais são seus principais recursos internos... sua nave interior... as potencialidades inatas que lhe auxiliarão no momento em que chegar a hora de sua migração. Então, chegou a hora de conhecer o território. Um bom mapa vai lhe ajudar bastante. Mas isso já são cenas do próximo capítulo.

Para tornarmos essa abordagem mais leve, a seguir, você tem uma tabela com o resumo dessas funções psíquicas. Isso irá facilitar a memorização e a compreensão desses elementos.

	FUNÇÃO	ANSEIO/IMPULSO	NECESSIDADE
SER	Senso de Individualidade; Vitalidade; Autonomia; Identidade autêntica e genuína; Capacidade de emancipação	Anseio de Ser; Anseio de se expressar; Impulso para a individualização; Anseio de emancipação	Necessidade de autoexpressão; De reconhecimento; De se destacar
SENTIR / REAGIR	Padrão interno das emoções, instintos e sentimentos; Reações emocionais inconscientes; Autoimagem; Segurança e nutrição emocional; Empatia, sensibilidade ao outro	Impulso para a fusão com o outro; impulso para experimentar novamente a fusão com o útero materno; Anseio de segurança emocional; Impulso para o relacionamento no nível emocional	Necessidade de apoio emocional; De cuidar e ser cuidado; De nutrição emocional; De participar e de pertencer
PENSAR / COMUNICAR	Padrão de funcionamento da nossa mente lógica e racional: como pensamos, aprendemos, percebemos e digerimos a experiência; Modo como nos comunicamos, trocamos ideias, e informações; Habilidade de captar e ler o ambiente	Impulso para se comunicar; impulso para interagir no nível das ideias, da mente; impulso para expressar as percepções, e a própria inteligência	Necessidade de interagir mentalmente com as pessoas; De trocar ideias, informações e conhecimentos; De aprender e ensinar
GOSTAR	Padrão de valores, desejos, gostos, afinidades e preferências individuais; Senso estético; Autoestima; Amor-próprio; Modo como permutamos afeto	Impulso social e amoroso; Anseio por relacionar-se afetivamente; anseio por expressar afeições; anseio por prazer; anseio por beleza, harmonia e satisfação	Necessidade de relacionamento amoroso; De experimentar prazer, beleza e satisfação por meio dos sentidos físicos; De conquistar e usufruir as coisas que valorizamos
AGIR	Padrão do impulso sexual e da agressividade no indivíduo; Força que nos permite crescer e dominar o mundo exterior; Vontade; Autoafirmação. assertividade, autodefesa	Impulso sexual; impulso agressivo; impulso autoafirmativo, assertivo e de autodefesa; impulso para compreender e dominar o mundo exterior; Anseio de adquirir novas habilidades; anseio de se impor	Necessidade de expressar a própria agressividade (de forma saudável ou adoecida); De vivenciar a própria sexualidade; De se afirmar, de se impor, e de se defender; De dominar, domar, controlar; De estímulo e excitação física, corporal
PROSPERAR	Padrão de crenças do indivíduo; Visão de mundo, filosofia de vida; modo como a pessoa se expande, cresce e se desenvolve; Espiritualidade e religiosidade vivida no nível social; Modo como a pessoa expressa fé, confiança e otimismo	Impulso para se ligar, no âmbito social, a algo maior que o indivíduo (causa, movimento, Instituições); Impulso para a expansão, o crescimento, a prosperidade; Impulso para assumir riscos; Anseio de atribuir significado e sentido vida; Impulso em direção ao futuro	Necessidade de crescimento, aperfeiçoamento, expansão; De prosperar; De confiar, de acreditar em algo; De dar sentido à vida através de uma filosofia ou sistema de crenças
PRESERVAR	Padrão interno que conferiu forma, limite e estrutura ao nosso Ego; Sistema de defesa do Ego (pensamentos, sentimentos e comportamentos) que constrói, estabiliza e mantém nossa personalidade; Tradição e conservadorismo	Impulso para a conservação, para a preservação no nível individual, social e espiritual; Impulso para defender a estrutura e integridade do Ego; Anseio por ordem, hierarquia e disciplina; Impulso em direção ao passado	Necessidade de manter, de conservar nosso modo de ser, de viver, nossas crenças, hábitos e valores; De aprovação social; De segurança material, social, cultural; De ordem, organização, rotina
MUDAR	Padrão do progresso disruptivo, da mudança da mente; Modo como indivíduo lida com a mudança e a ruptura; Poder criador e inovador; Intuição e criatividade	Impulso de mudança, ruptura e variedade; Impulso inovador; Anseio de progresso disruptivo	Necessidade de variedade, e de mudanças bruscas; De romper ou remendar alguma área da vida
TRANSCENDER	Consciência profunda de Unidade com a vida; Padrão de dissolução das fronteiras psíquicas; Faculdades espirituais, paranormais, mediúnicas; Compaixão; Pertencimento universal e sem fronteiras	Impulso para a Unidade, para a integração com o todo; Anseio de nos perdermos, de nos perdemos, de nos dissolvermos ou transcendermos às fronteiras do Ego; Impulso para o místico, para o espiritual, para o psíquico	Necessidade de dissolver e transcender ao Ego; De estar ligado a tudo o que existe; De dissolver as fronteiras que impedem o acesso a nossa experiência inata de Unidade; De expressar compaixão; De sacrificar-se por algo, por alguém ou por uma causa
REGENERAR	Padrão de integração (tornar inteiro) da mente consciente e inconsciente; Força regeneradora e purificadora da vida; Justiça imanente (Lei na Consciência); Padrão de equilíbrio e autorregulação da psique	Impulso para a regeneração da psique; Impulso para a integração das partes sombrias, reprimidas e negadas do nosso psiquismo; Anseio de purificação, catarse emocional; Anseio de equilíbrio homeostático, de autorregulação do psiquismo	Necessidade de integração, harmonização e equilíbrio da mente; De regeneração e purificação do psiquismo; De catarse dos conteúdos dos reprimidos, negados ou desconhecidos da nossa mente

	EXPRESSÃO POSITIVA	EXPRESSÃO NEGATIVA
SER	Autonomia; Autoexpressão saudável e calorosa; Individualidade autêntica; Alcance do significado, propósito e alegria pessoais	Orgulho; Arrogância; Desejo excessivo de destaque; Anseio excessivo de ser especial; Perda do significado, propósito e alegria pessoais
SENTIR/ REAGIR	Receptividade; Adaptabilidade; Contentamento interior; Capacidade de prover a si e aos outros	Sensibilidade exagerada; Insegurança; baixa autoestima; Incapacidade de cuidar-se e de cuidar dos outros
PENSAR/ COMUNICAR	Uso criativo da inteligência; Raciocínio e poder de discriminação a serviço do bem comum; Compreensão objetiva; Expressão verbal clara e respeitosa	Intelectualismo insensível e amoral; soberba; Mau uso da inteligência; Comunicação opiniática e parcial
GOSTAR	Reconhecimento dos valores, gostos e preferências; Sociabilidade e amorosidade; capacidade de permuta; Beleza, harmonia e satisfação	Desconhecimento dos próprios valores, gostos e preferências; Inibição afetiva; Autoindulgência; Cobiça; Exigência emocionais descabidas
AGIR	Coragem; Iniciativa; Força de vontade; Controle da agressividade; Impulso sexual equilibrado	Impaciência; Violência; Obstinação agressiva; Descontrole da agressividade e do impulso sexual
PROSPERAR	Fé; Confiança; Otimismo; Equilíbrio na expansão e no crescimento; Prosperidade legítima	Confiança exagerada e pueril; Dispersão; Crescimento irresponsável e expansão exagerada; Prosperidade às custas do prejuízo alheio
PRESERVAR	Disciplina; Esforço metódico; Senso dos deveres e responsabilidades; Organização; Respeito à ordem e à hierarquia	Rigidez; Apego excessivo a rotinas, regras e métodos; Valorização excessiva da hierarquia; Frieza, desconfiança; pessimismo; Medo e negatividade
MUDAR	Liberdade; Originalidade; Criatividade; Sintonia com a verdade; Capacidade de mudar; Intuição; Tecnologia	Rebelião; Extremismo; Mudança inoportuna; Necessidade constante de excitação, movimento; Inquietação
TRANSCENDER	Compaixão abrangente; Idealismo; Sintonia com o todo; Espiritualidade e Religiosidade; Compreensão e afinidade com a dimensão espiritual da vida	Misticismo; Fanatismo; Escapismo autodestrutivo; Ilusão
REGENERAR	Profundidade e intensidade emocional; Reconhecimento e Gestão das compulsões; Autoconhecimento; Poder interior; Liderança	Compulsão; Manipulação; Impiedade; Fascínio pelo poder

04

Os setores da experiência

O segredo do mundo é o laço que liga
a pessoa ao acontecimento. O espírito contém o
acontecimento por vir (...) o acontecimento é
a marca da sua forma (...) O homem verá
seu caráter impresso nos acontecimentos que
parecem vir ao seu encontro, mas que na
verdade brotam dele e o acompanham.
(Ralph Waldo Emerson)

Voar, migrar, ou simplesmente viajar são expressões sutilmente diferentes para uma única realidade subjacente – deslocar-se por um território. Aviões, Seres Humanos e animais estão constantemente se deslocando sobre um vasto terreno que convencionamos chamar de Planeta Terra.

Não há viagem, no sentido concreto do termo, sem que haja um território sobre o qual alguém se desloca.

E grande parte da ciência envolvida nesse processo, seja na navegação marítima, aérea ou terrestre, diz respeito à aquisição de boa dose de conhecimento a respeito do território.

Mapas, bússolas, GPS e outros artefatos da navegação são apenas uma maneira de descobrirmos, com certo grau de precisão, onde estamos e para onde vamos. Nesse contexto, as palavras-chaves são sempre: posição, direção e sentido.

Nos capítulos anteriores, percebemos que a vida humana é também, em sentido metafórico, uma grande viagem, uma constante migração, exigindo de todos nós a compreensão dos padrões de regularidade da Natureza, o conhecimento dos ciclos da vida, bem como o inventário dos potenciais ou equipamentos de nossa aeronave.

Nossa meta continua a mesma: aprender a enfrentar os períodos de crise e desafio de nossa vida com mais habilidade e sabedoria.

Por esta razão, chegou a hora da BÚSSOLA. E ela pressupõe o conhecimento detalhado das coordenadas do espaço-tempo – nosso território.

Ao lidarmos com as periódicas crises da vida é importante relembrar três questões fundamentais:

1) O que está acontecendo?

2) Como está acontecendo?

3) Aonde, em que área da minha vida está acontecendo isso?

Em outras palavras, todas as crises ocorrem de uma maneira pessoal, individual, mas sempre em alguma área de nossa vida. Essa área, naturalmente, pode afetar muitas outras, é claro. Porém, há um FOCO, um núcleo básico, dentro do qual e a partir do qual a mudança se irradia para os demais setores de nossa experiência.

Todavia, antes de propormos um modelo para mapear o território, é necessário estabelecermos algumas premissas básicas. A divisão cartesiana entre mente e corpo, exterior e interior nos parece ultrapassada, limitada, incompleta...

Ao considerarmos os eventos como circunstâncias meramente externas que nos acontecem, deixamos de compreender a parte que nos toca quando experimentamos, interpretamos e damos significado a esses eventos. Sem falar naquela parte inconsciente que provoca os acontecimentos... Exatamente, nós provocamos os acontecimentos, ainda que de modo inconsciente.

Acreditamos que “a realidade de uma pessoa brota de sua paisagem interior de pensamentos, sentimentos, expectativas e crenças”. (Howard Sasportas)

O fato de alguém ter problemas com os amigos, ao longo de sua vida, é apenas a pontinha do *iceberg* – a manifestação externa de algo que ele traz interiormente, de algo que ele é responsável por criar. Por exemplo, o temor que esse alguém possui de expandir os próprios limites para incluir algo além de si mesmo. O medo de colocar em risco sua identidade ao se relacionar com os outros em nível social. Não são os amigos que o restringem, mas suas próprias restrições que impedem e limitam suas amizades.

Tal qual a semente de uma frondosa e frutífera árvore, cada um de nós está num contínuo processo de desdobramento, de crescimento e desenvolvimento interior, em direção a um modo de expressão pleno, genuíno e fidedigno.

Os eventos externos parecem desabar sobre nossas cabeças. Ainda assim, acreditamos em sincronia, ou sincronicidade, na qual esses eventos exteriores refletem, acompanham e são afetados por mudanças internas que estão acontecendo em nós naquele mesmo momento. Em suma,

os obstáculos que encontramos no exterior refletem as limitações presentes em nosso interior, demandando uma transformação muito pessoal, específica e intransferível.

A superação, o fortalecimento íntimo e o progresso individual são sempre exigidos de nós nessas circunstâncias.

Piero Ferrucci expressa essa realidade de modo muito convincente: "Parece haver uma forma das coisas acontecerem que é intrinsecamente certa para elas: elas se tornam o que deveriam ser. Aristóteles chamava o fim desse processo de *entelechia* – a completa e perfeita realização daquilo que existia previamente em um estado potencial. Não importa se isso pode ser visto numa borboleta saindo do seu casulo, numa fruta madura caindo de uma árvore ou no desenvolvimento de uma bolota até se tornar em um carvalho. Esse processo evidencia claramente qualidades de harmonia e inteligência subjacente (...). De acordo com a doutrina oriental do *dharma*, cada um de nós é chamado a realizar um padrão de vida particular (...). Cada um de nós deveria tentar descobrir o padrão e cooperar com sua realização". (*What We May Be*, Piero Ferrucci)

Essa atitude exigida pela vida pode ser chamada: COLABORAÇÃO COM O INEVITÁVEL.

Há outro aspecto desse raciocínio que também precisa ser destacado.

A semente possui uma cadência de desenvolvimento. Algumas podem levar apenas poucas semanas para germinar. Outras, porém, demandam meses ou anos para crescer. No capítulo 2, estudamos detalhadamente a cadência padrão da vida humana, com seus ciclos e características gerais.

Importa agora, nesse capítulo, examinar o local aonde ocorre esse desdobramento, os setores da experiência individual. Esse lugar, esse terreno está profundamente conectado com a própria cadência da vida humana que é semelhante a da semente, com seu processo de desenvolvimento, do mesmo modo que uma árvore exibe raízes robustas porque já passou pelo processo de desenvolvimento das raízes. Ela apresenta tronco, galhos, folhas, flores e frutos, porque já atravessou o percurso, já vivenciou cada trecho da jornada, e mal ou bem realizou o que estava proposto para cada período particular.

Em certo sentido, podemos dizer que o lugar, o aspecto externo de nossa vida nasce do tempo, das fases de desenvolvimento de nossa existência. E de um tempo que é cíclico e repleto de ritmo. Na vida humana, o processo se repete em idênticas condições.

Em resumo, aqueles elementos que agregamos à nossa individualidade, durante o processo de sua formação e desenvolvimento, atraem estruturas exteriores, se conectando a elas em perfeita sincronia, de modo que qualquer coisa que afete o que está dentro, acaba interferindo no que está fora, e vice-versa. Em outras palavras,

os setores da experiência, as áreas da vida que podemos enxergar fora de nós são expressões externas de realidades internas. Nosso interior interage com o exterior.

Por exemplo: Em algum momento, nos diferenciamos da matriz materna, saindo do útero, e agora temos um EGO para gerir. Em determinado período desenvolvemos nosso organismo biológico, e agora temos um corpo físico para administrar. Em algum trecho da jornada adquirimos a habilidade de nos relacionar afetivamente com os outros, e agora temos um casamento, um relacionamento, uma relação amorosa para cuidar.

Uma vez que a pessoa tenha compreendido essa realidade, poderá iniciar o trabalho de "mapeamento do território" com mais proveito, de modo mais profundo e significativo, não mais como alguém que simplesmente explora o exterior, mas como alguém que mergulha em sua própria intimidade.

Mapa dos setores da experiência humana

Mãos à obra, ou melhor, mãos ao mapa!!!

A vida possui vários níveis, fronteiras, instalações e instrumentos para os diversos tipos de atividade individual e/ou social. O Ser Humano, portanto, vive em muitas "moradas". Cada um desses setores indica campos específicos de experiência, ou espectros dela. Do mesmo modo que um milionário possui uma sala comercial, uma casa ou apartamento na cidade, uma cota em um clube social, um sítio, uma casa na montanha, outra na praia e uma fazenda, todos nós nos localizamos em diversos setores.

Podemos examinar a vida de alguém em função da maneira pela qual ele atende a essas diversas áreas ou "moradas". O grau com que o indivíduo enfatiza, focaliza uma dessas áreas ou departamentos de sua experiência, nos revela onde ele se encontra psiquicamente, onde ele experimenta o desenrolar de sua própria existência.

Quando pensamos nessas diversas áreas da vida de uma pessoa, muitas coisas nos vêm à mente – profissão, família, filhos, recursos, relacionamentos...

É fácil constatar que esses diversos **setores da experiência** humana constituem o nosso território. Em resumo, é neles que nossa mente "habita", movimenta-se, sonha, alegra-se e chora. É também nesses setores que experimentamos as mudanças, as rupturas – as crises.

Nesse território imenso, realizamos a extraordinária viagem do berço ao túmulo e também para o além-túmulo.

Qual seria, porém, a lógica a ser adotada para mapear setores tão diferentes? Para responder a essa pergunta, é importante relembrarmos duas premissas por nós assumidas:

1) A realidade de uma pessoa brota da sua paisagem interior.

2) Os elementos que agregamos à nossa individualidade, durante o processo de sua formação e desenvolvimento, acabam atraindo estruturas exteriores, se conectando a elas e entrando em perfeita sincronia com elas.

Sendo assim, sugerimos um mapeamento que leve em conta doze períodos ou ciclos do desenvolvimento da personalidade, considerando-os gavetas de um guarda-roupa. O próximo passo, naturalmente, é preencher esses espaços, como alguém que coloca em cada gaveta determinado tipo de vestimenta, ou seja, encontrar aquelas estruturas exteriores que se originaram dessa paisagem interior.

Um lugar para cada coisa, cada coisa em seu lugar.

Nosso modelo parte de um pressuposto: a vida é experimentada através de um processo que se desdobra em diversas etapas. Essas etapas são experimentadas em nível da IDENTIDADE, no nível material ou dos RECURSOS, em nível da MENTE e de suas interações interpessoais e sociais, e no plano das EMOÇÕES e SENTIMENTOS.

Assim, temos doze setores, compartimentos ou espectros da experiência.

Obviamente, nossa proposta representa apenas um modelo teórico, destinado a facilitar nossa compreensão. Sendo assim, não temos a menor pretensão de esgotar o assunto, nem produzir um esquema perfeito, completo...

Lembre-se, é apenas um mapa do território. Temos consciência de que o território é muito mais amplo, e talvez não se encaixe em nenhum mapa.

Esses doze setores da experiência podem ser subdivididos e classificados de diversas maneiras. É como um globo terrestre com seus paralelos e meridianos, traçados para facilitar a nossa compreensão do território.

Temos, assim, uma roda da vida, com os seus quadrantes de atuação. Podemos agrupar esses doze setores em três quadrantes, cada qual composto de quatro setores, que passaremos a detalhar nas próximas páginas.

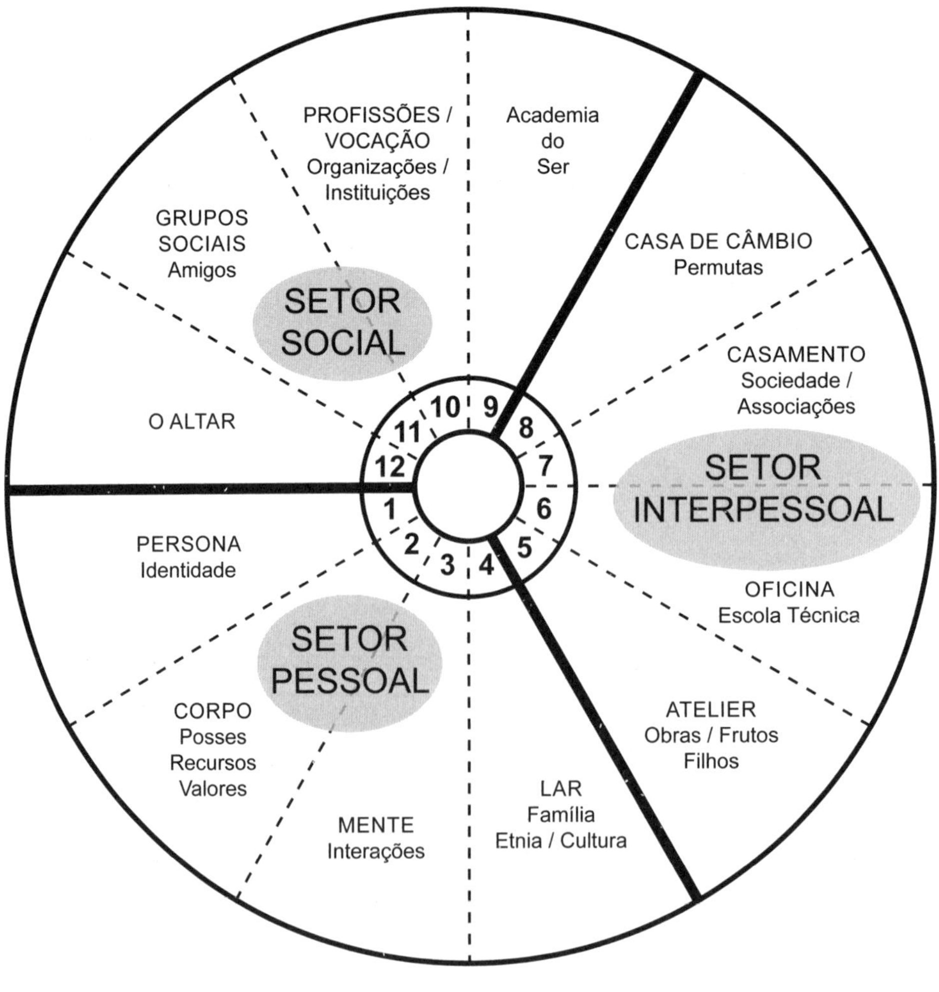

Primeiro quadrante – setor pessoal

1. O primeiro setor de nosso esquema é a persona e suas atuações dando surgimento à nossa identidade.

Quando estamos em formação no útero materno, flutuamos ritmicamente no líquido amniótico, nas águas da vida, com a sensação de que não existe diferença entre nós e nossa mãe. Não há, ainda, a consciência de sermos um indivíduo separado, nenhuma ideia de corpo, sentimentos ou mente como algo diferente de qualquer outra coisa.

O nascimento nos tira dramaticamente desse ambiente de totalidade, de unidade, e nos obriga a tomar um corpo circunscrito, delimitado, autônomo; nos obriga a proclamar nosso EGO como um indivíduo único e distinto. Surge a questão de nossa identidade.

No teatro grego, *persona* era o nome dado às máscaras que os atores/atrizes utilizavam para compor, para caracterizar os papéis que seriam representados na peça teatral. Assim, após a caracterização completa do ator/atriz com sua máscara, surgia a personagem, termo derivado de *persona*.

Na Psicologia Analítica, Carl Gustav Jung percebeu que os Seres Humanos agem de maneira diferente em cada ambiente social, em razão da necessidade de serem aceitos e de pertencerem ao grupo, o que os levaria a se adaptarem às mais diversas circunstâncias e situações adotando uma "persona", um papel e um discurso para cada situação prática.

Refletindo melhor, podemos concluir que a *persona* é uma fronteira entre a minha intimidade e o ambiente onde me coloco, uma espécie de interface que torne possível a adequação do meu interior às diversas circunstâncias, aos ambientes e situações da vida cotidiana.

Nesse sentido, nós podemos dizer que o primeiro setor da experiência ou área da vida é a nossa "fábrica de personas", o local ou fronteira em que iniciamos contato com o mundo externo, a maneira que realizamos esse intercâmbio, as estratégias e preferências pessoais que moldam nossas máscaras no teatro da vida.

A nossa primeira respiração, independente e autônoma, mostra o início de nosso ciclo de vida individual e simboliza a qualidade de todos os nossos inícios daí por diante. Cada novo começo fará ressoar as qualidades dos começos anteriores, trazendo de volta procedimentos, paradigmas, associações antigas. Evocará a atmosfera ou ambiente que nos cercaram no começo de nossa vida física.

Essas experiências marcantes de nossa primeira infância irão moldar ou ativar nossa lente e nosso foco, ou seja, a maneira pela qual percebemos a existência, o foco que trazemos à vida ao nascer, a maneira que enxergamos o mundo. A partir dessa visão de mundo (nossas lentes), selecionamos e interpretamos os fatos, agimos e nos comportamos consoante essa interpretação, provocando um reflexo da própria vida que responde à nossa abordagem. Trata-se da imagem inata que temos da vida.

Nossa persona representa também nosso estilo, nosso *modus operandi*, nosso enredo pessoal e as soluções para ele, nosso *script*, o caminho que nos leva para nossa individualidade. Todos esses elementos estão profundamente relacionados com a experiência individual da pessoa durante o processo de seu nascimento físico e com o ambiente de sua primeira infância.

Talvez surja no leitor a dúvida quanto a classificarmos a *persona* como uma das áreas de nossa vida. No entanto, basta lembrar que muitos indivíduos vivem e se apegam tanto a essas máscaras ao longo de suas vidas, que são incapazes de acessar sua verdadeira individualidade.

Nesse sentido, a *persona* é um lugar, um local onde nos situamos. Por representar nossa interface com o mundo, ela é, igualmente, uma fronteira entre o que há de mais interno e aquilo que está do lado de fora, bem próximo de nós.

2. O segundo setor de nosso esquema é o CORPO, suas posses e seus recursos.

Normalmente, depois de nosso nascimento, levamos até seis meses para reconhecer que temos um corpo e talvez até mais para diferenciarmos completamente nosso EGO das outras coisas ou pessoas, incluindo nossa mãe.

Nosso primeiro recurso, sem sombra de dúvidas, é nosso corpo físico.

Todavia, a descoberta de nosso corpo como um ente autônomo, delimitado, separado das demais coisas, também desperta um senso de vulnerabilidade, de limitação que antes não percebíamos. Com essa descoberta, surge a necessidade de defender esse corpo da morte, da destruição parcial ou total, bem como a aspiração de nos tornarmos mais estáveis, seguros, permanentes, sólidos e duradouros.

Com o passar do tempo, desenvolvemos igualmente um sentido para outras coisas que possuímos ou devemos possuir além do nosso corpo – bens, habilidades, talentos, valores. Enfim, tudo aquilo que possa nos transmitir a sensação de segurança pessoal.

O dinheiro e as posses constituem os elementos mais concretos, mais tangíveis desse setor, já que estão intimamente relacionados com nossa necessidade de segurança, além de refletirem nossas atitudes para com o mundo material.

No entanto, não podemos esquecer do patrimônio intangível – nossos valores, recursos e desejos, que constituem forças poderosas. Quando nossos valores mudam, todo nosso enfoque da vida pode mudar drasticamente, acarretando mudanças radicais em nosso estilo de vida. Do mesmo modo, aquilo que desejamos costuma ser exatamente aquilo que atraímos para nós, ainda que de modo inconsciente.

Muitas pessoas extraem seu sentimento de identidade e segurança somente daquilo que possuem – corpo, dinheiro, posses, esposa, filhos, igreja. Porém, derivar nossa identidade somente daquilo que é externo ou relativo é muito instável e precário. Talvez, a única segurança real venha da nossa identificação com aquela parte de nós que permanece quando tudo o mais nos é arrancado.

3. O terceiro setor de nosso esquema é a MENTE e suas interações.

Tão logo avancemos na descoberta do nosso corpo como um ente autônomo, delimitado, separado das demais coisas, começamos realmente a ver e a entender o que há ao nosso redor e a entrar em relação com o que encontramos.

Nesse momento, passamos a examinar o ambiente mais de perto, para interagir com ele e para formar ideias e opiniões a respeito do que encontramos. Com o desenvolvimento da linguagem e da habilidade de comunicação, de catalogação das coisas, surge um anseio por crescer e explorar o ambiente.

Por meio da linguagem, a criança entra no mundo dos símbolos, das ideias, dos conceitos e, pela primeira vez, é capaz de imaginar sequências de acontecimentos em um nível abstrato, para além daquilo que a experiência puramente sensorial lhe permite. Em resumo, com o surgimento da linguagem, a mente se liberta e se diferencia do corpo.

Eis que vem à tona nossa MENTE RACIONAL/ CONCRETA, o lado esquerdo do cérebro, aquela parte encarregada dos pensamentos sequenciais e racionais, a parte que controla a fala, que analisa, abstrai, memoriza e classifica a experiência.

Nossa mente é responsável pela qualidade de nossa comunicação com os outros. Em um nível mais profundo, podemos dizer que ela é responsável por nossas interações: com o mundo, com as pessoas próximas de nossa infância, com os outros.

Em resumo, nesse setor da experiência está retratada nossa mente, nossa interação, nossa comunicação. Aqui vale aquele ditado: "A maneira pela qual conhecemos algo determina como vamos nos relacionar com ele".

4. O quarto setor de nosso esquema é o LAR e os vínculos familiares e étnicos.

A assimilação das experiências dos três primeiros setores nos conduz a lento e gradativo processo de integração da mente, do corpo, da personalidade *persona* e das emoções em torno de um núcleo, de uma espécie de alicerce ou base de operações em nível interno.

No primeiro setor aprendemos que somos alguém distinto, separado de nossa matriz materna; no segundo setor percebemos nosso corpo, nossa própria configuração, nossos limites, recursos, possibilidades e valores; no terceiro setor voltamos nossa atenção para o que nos rodeia, interagindo com os outros e formando nossa mente, nosso acervo de ideias, conceitos, preconceitos, paradigmas, ou seja, nossa rede cognitiva.

Neste processo, perdemos aquela sensação de totalidade, de unidade que somente o útero materno nos proporcionava, mas em compensação ganhamos a percepção de que somos alguém, de que esse alguém se encontra dentro de um corpo, de que possui recursos e valores próprios, de que pensa de maneira autônoma e de que interage com o ambiente.

Para compreendermos bem mais o quarto setor da experiência, basta nos lembrarmos de uma semente lançada na terra. No início, ela rompe a minúscula casca, desponta na superfície, esboça sua forma, aumenta seu caule, desenvolve pequeninas folhas, mas também fortalece e aprofunda suas raízes.

Assim, aprofundar as raízes de nosso Ser, estabelecer nossa base interior de operações, promover a integração da mente, do corpo, da personalidade *persona* e das emoções em torno de um núcleo, de modo a tornar possível o desenvolvimento psíquico, são os assuntos pertinentes ao quarto setor da experiência.

Aprofundar raízes tem a ver com a compreensão de nossa herança familiar (constelação familiar), diz respeito ao desenvolvimento de relações e à construção de laços afetivos, emocionais no âmbito da família. Está relacionado também com a descoberta de nossas origens étnicas e culturais. Enfim, nossa família, nossos ancestrais, nossa herança familiar, nosso povo, nossa etnia.

Estabelecer nossa base interior de operações diz respeito a constituir um LAR, um local onde seja possível nos recolher, relaxar, recobrar as forças e refletir, sem qualquer pressão vinda de fora. O ambiente para onde retornamos a fim de descansar antes de darmos início a outras atividades. Nossa necessidade de privacidade.

Por fim, a integração de mente, corpo e persona significa concluir o processo de formação da individualidade agregando sua base emocional, afetiva, familiar. O primeiro passo está relacionado com a identidade, o segundo passo com a parte corporal, material; o terceiro passo envolve a mente, o aspecto intelectual bem como as interações sociais da infância; agora, no quarto passo surgem as questões emocionais, da alma, os assuntos familiares, nosso LAR.

Segundo quadrante – setor interpessoal

Nos quatro primeiros setores, observamos o longo processo no qual o indivíduo nasce, se torna consciente de sua própria existência, de seu corpo, de sua mente, de seu ambiente familiar, de sua herança familiar e étnica, bem como de suas emoções e sentimentos. Está concluído o trabalho de formação, desenvolvimento e aperfeiçoamento da individualidade, a meta e a tarefa do quadrante PESSOAL, composto pelos setores 1 a 4 de nosso esquema.

Surge agora a necessidade de exprimir e compartilhar nossa individualidade com os outros, através dos relacionamentos interpessoais. Naturalmente, essas relações irão aprofundar, amadurecer, ampliar nosso senso de identidade, já que a convivência com os opostos nos permite mais clareza, maior visão das nossas qualidades e das qualidades humanas do outro.

Esse processo será realizado no quadrante INTERPESSOAL, composto pelos setores 5 a 8 de nosso esquema. Nesse quadrante, a atividade desenvolvida é mista. Isso se deve ao fato de que todo esforço para interagirmos com os outros ao nosso redor acaba impactando a formação da nossa própria individualidade. É como se o trabalho de formação da identidade (Setores 1 a 4) tivesse prosseguimento, mas em outro nível, ou seja, em nível da interação com o outro.

Essa imagem é bastante didática. Os setores 5 a 8 retomam o mesmo processo desenvolvido nos setores 1 a 4 (Identidade, Recursos, Mente e Alicerce Emocional). Todavia, as experiências se ampliam, assumem novo patamar, tornam-se mais desafiadoras, porque passam a incluir a interação com o outro. Esse é o exato sentido da palavra INTERPESSOAL.

5. O quinto setor de nosso esquema é o ATELIER da personalidade e expressão criativa.

Para exprimir e compartilhar nossa individualidade com os outros, através dos relacionamentos interpessoais, é necessário um trabalho prévio de consolidação, aprofundamento, amadurecimento, ampliação de nosso senso de identidade.

No quinto setor, a identidade, nascida e formada no primeiro setor, volta a ocupar o palco principal, mas dessa vez para ser concretizada, consolidada e expressada de forma criativa. Inicia-se aqui o processo de desenvolvimento proposto pelo quadrante INTERPESSOAL, tarefa que exige a interação com o outro.

A necessidade de alcançar segurança com respeito à nossa identidade desperta em nós o desejo de nos sentirmos especiais, relevantes, influentes. Esse intuito é obtido por meio de nossa expressão criativa, da expressão do nosso poder cocriador.

Tal fato pode ser constatado em nossos romances juvenis, nos quais iniciamos uma relação interpessoal apenas para testar nosso poder de sedução, nossas qualidades e talentos, com o único objetivo de aumentar nossa segurança pessoal com respeito à nossa identidade.

No entanto, nossos dons, talentos e criatividade precisam encontrar um canal de expressão, não importa qual seja ele, desde fazer um bolo até pintar um quadro, ou até mesmo gerar ou adotar um filho(a).

Aliás, os filhos representam uma extensão de nossa identidade, grandiosa expressão de nosso poder cocriador. Eles podem ser encarados como os principais frutos ou obras de nossa criatividade.

Da mesma forma, é preciso reconhecer que todos trazemos uma "criança interior", ansiosa por se expressar, por brincar, criar, se expandir e interagir, a fim de se sentir acolhida, amada, valorizada.

O quinto setor representa o local aonde testamos nossos talentos, nossa imaginação, aonde expressamos nossos dons e criatividade. O ambiente em que experimentamos o "ócio criativo". O ATELIER de nossa personalidade.

Cumprida a missão de ampliar e realçar nossa identidade, através da expressão, concretização e consolidação de nosso poder cocriador, de nossa criatividade, estamos aptos à tarefa proposta para o próximo setor, e damos o primeiro passo no aprendizado das relações interpessoais.

6. O sexto setor de nosso esquema representa a OFICINA da personalidade e o aprimoramento das habilidades para agir no mundo material.

O êxito das relações interpessoais não depende apenas de nosso poder cocriador, de nossa criatividade. É necessário desenvolver nossa capacidade de servir, nossa força de trabalho, nossa habilidade de atuar com eficiência no mundo material.

Segundo um ditado popular "o trabalho é o aluguel que pagamos pela vida". E a vida tem de ser vivida dentro de certos limites. Todos nós possuímos um corpo particular, uma mente particular e alguma finalidade particular a desempenhar nessa existência, de acordo com nossa maneira e natureza individual.

Assim, o sexto setor pode ser compreendido como a ESCOLA TÉCNICA de nossas habilidades no mundo físico.

As tarefas desse setor incluem descobrir nossos limites, propósitos, nossa função específica no mundo material. Isso exige avaliação e reorientação de nossos poderes e habilidades para lidar com as questões materiais e corriqueiras da vida.

Existe também uma relação entre o que somos por dentro e aquilo que nos rodeia – a correlação entre o mundo interior da mente, dos sentimentos, e o mundo exterior da forma, de nosso corpo físico. A qualidade de nossa conexão mente-corpo responde pelo nível de nossa saúde interior. Neste setor, aprendemos a cuidar de nossa saúde, em um sentido amplo.

O sexto setor revela o local aonde refinamos, aperfeiçoamos e purificamos nossas habilidades concretas a fim de nos tornarmos mais eficazes e eficientes no trato com as questões de ordem material.

Se no segundo setor, formamos nosso corpo e desenvolvemos igualmente um sentido para outras coisas que possuímos ou devemos possuir além desse corpo – bens, habilidades, talentos, valores; no sexto setor a palavra de ordem é aprimoramento, reorientação, uso eficaz e eficiente de todos esses recursos, a começar pelo corpo físico.

Dizem que "a técnica é a liberação da imaginação". O aperfeiçoamento de nossas habilidades para atuar no mundo material, o aprimoramento de nossa força de trabalho e de capacidade de servir é fundamental para o próximo passo: Os Relacionamentos.

7. O sétimo setor de nosso esquema corresponde à esfera dos RELACIONAMENTOS, associações e sociedades.

Nossa longa jornada nos possibilitou tomar consciência e desenvolver a própria existência, o corpo com suas posses e recursos, a mente com suas interações, o ambiente familiar, nossa herança familiar e étnica, nossas emoções e sentimentos, nossa criatividade e poder cocriador, além de nossas habilidades para lidar com o mundo material.

Foram percorridos os setores de 1 a 6 que dizem respeito à formação do indivíduo, de sua identidade, assim também aos elementos básicos necessários para se viver de forma autônoma, criativa, produtiva e saudável.

É necessário, a partir de agora, avançar rumo aos setores de 7 a 12 que dizem respeito à conexão desse indivíduo com os outros, seja em nível íntimo dos relacionamentos afetivos, seja em nível das associações, sociedades, instituições, ou mesmo em um nível transcendente da unidade com o restante da sociedade, e mesmo do cosmos.

O primeiro passo refere-se à construção de um padrão individual de interação interpessoal.

No setor anterior (sexto setor), aprendemos o que nos diferencia dos outros e de tudo o mais, aprimorando nossa personalidade individual por meio de trabalhos, de serviços, de devoção, de atenção à vida cotidiana, ao corpo físico. Todavia, no final desse processo fomos obrigados a reconhecer que estamos sozinhos.

A lição do sétimo setor é: nada existe isoladamente. É preciso conquistar a consciência do outro, de modo a avançarmos na construção das relações interpessoais. A questão, porém, é que nem sempre meditamos mais profundamente sobre o significado da palavra interpessoal.

Para esse fim, o mecanismo da projeção psicológica tem de ser novamente mencionado. Carl Gustav Jung mostrou bem que "quando uma situação interior não é tornada consciente, ela acontece exteriormente, como destino".

Aquilo que está escondido dentro de nós, aquilo que sentimos não nos pertencer porque não podemos ou não queremos reconhecer em nós mesmos, costumamos vivenciar por meio de um companheiro(a), ou dos tipos de experiências que o relacionamento nos traz. Aquilo que não percebemos dentro de nós, fatalmente, atraímos para nós através dos outros.

Assim, podemos falar no “Parceiro Interior” como aquelas qualidades ocultas dentro de nós que precisam ser conscientemente reconhecidas, integradas e aprimoradas, a fim de nos tornarmos inteiros. Ao negarmos ou suprimirmos esses atributos em nós mesmos, por considerá-los desagradáveis ou inaceitáveis, outras pessoas serão atraídas por nós, levando-nos à reflexão dessas características, de modo a tomarmos consciência de sua existência no mundo externo, e, principalmente em nosso mundo interior.

Esse é o nosso padrão individual de interação interpessoal.

O casamento ou qualquer relacionamento baseado em compromisso mútuo é o palco ideal para reintegrarmos, até certo ponto, essas qualidades e atributos que dormem em nosso inconsciente. É o local aonde aprendemos a cooperar com os outros. Do mesmo modo, o nosso ingresso e participação em sociedades e associações como membro efetivo ou fundador. Trata-se, também, de relacionamentos interpessoais que exigem cooperação, afinidade, compartilhamento de objetivos.

8. O oitavo setor de nosso esquema constitui nossa CASA DE CÂMBIO com suas permutas.

No setor anterior, exploramos a esfera dos relacionamentos interpessoais e descobrimos que nos relacionamentos somos mergulhados no mundo dos outros, a fim de tomarmos consciência daquilo que precisamos reconhecer, integrar e aprimorar para nos tornarmos inteiros.

De agora em diante, esse mergulho nos levará a experimentar uma espécie de morte do EGO, uma fusão com o outro, e, consequentemente um processo de regeneração decorrente da permuta.

O primeiro relacionamento da vida, e o mais marcante de todos, é com a mãe. Todos nós entramos neste mundo em uma condição de extrema fragilidade. A perda do cuidado e do amor da mãe poderia significar abandono e morte. Muitos de nós continuamos a projetar essas expectativas da infância, esse medo de abandono e morte, nos relacionamentos futuros.

A psicóloga Melanie Klein conseguiu demonstrar que todos nós trazemos uma "criança furiosa" oculta dentro de nós. Ela descobriu que nem mesmo a mãe mais atenta pode interpretar sempre, com precisão, o que quer um bebê ao chorar. Isso gera uma carga de frustração e hostilidade que carregamos de forma oculta em nosso íntimo, mas que sempre surge à superfície quando nos relacionamos com alguém.

Em resumo, num relacionamento íntimo e mais intenso descemos às profundezas de nosso ser para descobrir nossa primordial herança emocional e instintiva: raiva, frustração, mágoa, ciúme, inveja, avareza, paixões, necessidade de controle e poder – nossa "criança furiosa".

Eis a necessidade de purificação, regeneração, renascimento em nível das emoções, da alma.

No oitavo setor, estamos em busca de segurança emocional, segurança para a alma, por meio da fusão com o outro, por meio do processo de permuta de bens e valores nas relações interpessoais.

Quando duas pessoas – cada uma com seu temperamento, seus recursos, seu sistema de valores, suas necessidades, seu relógio biológico – começam a permutar, inevitavelmente, experimentam algo relacionado com a purificação e a regeneração. Começam a vir à tona problemas não resolvidos de relacionamentos anteriores, sobretudo os vínculos da infância estudados no quarto setor.

Surge, assim, a imperiosa necessidade de compreender que todo relacionamento implica uma espécie de operação de câmbio. Aquilo que recebemos do outro tem para nós um significado que não coincide com o dele. Por outro lado, aquilo que damos tem para quem recebe um significado que também não coincide com o nosso. Seria como se pagássemos em dólar, mas a pessoa recebe em euros.

E para complicar ainda mais a situação, a maneira que nos comportamos ao permutar bens/valores, tangíveis ou intangíveis, materiais ou imateriais, nas relações interpessoais, afeta o delicado mecanismo da segurança emocional, tanto o meu mecanismo quanto o da outra pessoa. A permuta sempre nos coloca em uma situação de insegurança, temporária ou duradoura, dependendo da maneira que operamos nossa CASA DE CÂMBIO.

Na intimidade, expomos e partilhamos partes de nós que normalmente estão escondidas. Os destroços da infância são escavados, com o objetivo de serem purificados e regenerados. No entanto, isso exige boa dose de autoconhecimento e autocontrole.

Em suma, o oitavo setor promove um redimensionamento de nosso EGO, uma vez que a fusão com o outro, especialmente através da sexualidade, a permuta de valores, a revisão de nosso relacionamento infantil com a mãe, a purificação e regeneração de nossas emoções nos conduz inevitavelmente ao amadurecimento da alma, proporcionando-nos segurança tão íntima e profunda que não se compara a nada que possa ser obtido fora de nós, no ambiente externo.

Terceiro quadrante – setor social

Nos quatro setores anteriores (5 a 8), a necessidade de exprimir e compartilhar nossa individualidade com os outros, pelos relacionamentos interpessoais, foi estruturada e consolidada. Aprimoramos nossa identidade na interação com o outro, desenvolvemos a percepção da diversidade de características de nossos semelhantes, estabelecemos nosso padrão de relacionamento interpessoal, experimentamos uma espécie de morte do EGO, uma fusão com o outro, e, consequentemente, a necessidade de regeneração decorrente da permuta.

O percurso dos últimos quatro setores (9 a 12) nos levam ao campo SOCIAL. A meta agora não se resume ao relacionamento com outros indivíduos, mas inclui também a conexão com grupos, comunidades, etnias e com a própria humanidade. Surge a necessidade de inserção, atuação e integração com a sociedade.

Inicialmente, aprenderemos e compreenderemos um conjunto de Leis e Princípios (Nono Setor) que estruturam a sociedade, suas instituições e organizações (Décimo Setor). A partir desse ponto, será alcançada uma espécie de consciência social (Décimo Primeiro Setor), o alicerce para a formação e estruturação da mente coletiva, até que estejamos aptos a nos sacrificar por alguma causa humanitária, global, em busca de comunhão com os demais seres, e transcendência (Décimo Segundo Setor).

Esse processo será realizado no quadrante SOCIAL, composto pelos setores de 9 a 12 do nosso esquema.

Da mesma forma que os setores de 5 a 8 retomaram o processo desenvolvido nos setores de 1 a 4 (identidade, recursos, mente e alicerce emocional), os setores de 9 a 12 darão continuidade ao mesmo ciclo, obedecendo à mesma ordem que tem início nos aspectos ligados à identidade para concluir a missão nos elementos vinculados ao alicerce emocional. Todavia, as experiências deverão ocorrer em uma esfera mais ampla, em um patamar que seja capaz de englobar a interação SOCIAL.

9. O nono setor do nosso esquema corresponde à ACADEMIA DO SER.

O tema principal desse setor é o aprendizado, a reavaliação, o reajuste e o aprimoramento da identidade, como preparação para nossa inserção e participação ativa na sociedade.

Esse setor retrata o ambiente aonde desenvolvemos e aprimoramos nossa intuição, o lado direito do cérebro, responsável pela nossa faculdade de abstração, pelo processo intuitivo, pela capacidade de síntese, que nos torna aptos a detectar modelos e padrões.

O aprimoramento da intuição, o desenvolvimento de nosso senso de identidade acarreta como consequência a ampliação de nossos horizontes. Desperta, igualmente, o anseio de inserção no amplo ambiente social, cultural e étnico que nos cerca. Somos impelidos a buscar pessoas, países, culturas e tradições diferentes das nossas como forma de ampliar nossa perspectiva de vida.

O contato com a diversidade humana é a grande ferramenta para reavaliarmos, aperfeiçoarmos e ampliarmos nossa própria identidade. O nono setor representa esse tipo de interação: viagens, intercâmbios, aprendizado de uma língua, um curso superior, ou mesmo as experiências proporcionadas pela internet e pelo mundo global. Em suma, tudo aquilo que nos auxilia a ampliar nossos estreitos limites individuais.

A busca de significado, finalidade e propósito para nossas existências é um dos elementos essenciais da condição humana. Muitos psicólogos acreditam que a perda do significado e do propósito da vida tem sido a causa de inúmeros distúrbios psíquicos, emocionais, mentais.

Sistemas educacionais, filosóficos e religiosos por meio dos quais buscamos a verdade, o significado da existência, as leis que regem a vida também se enquadram no nono setor. A maneira que seguimos uma filosofia ou religião, a natureza de nossa filosofia de vida, a imagem de Deus que construímos ou o tipo de Deus que reverenciamos, tudo isso diz muito a respeito de nossa identidade.

Reavaliar nossa identidade é tocar nessas questões inevitáveis.

10. O décimo setor de nosso esquema é a ESFERA PROFISSIONAL, nossa inserção e contribuição social. A ampliação de nosso senso de identidade, de nossos horizontes, como preparação para nossa inserção e participação ativa na sociedade, nos leva a uma ação material, concreta e objetiva no ambiente social onde nos situamos.

A construção de um padrão de inserção e contribuição social é o grande tema do décimo setor. E o movimento para produzir, organizar, administrar e supervisionar recursos define, estrutura e concretiza esse padrão.

Naturalmente, a expressão de nossa vocação ou carreira depende da qualidade de nossa contribuição para a sociedade, do modo pelo qual o trabalho é dirigido ou desenvolvido concretamente. Em resumo, nossa vocação depende de modo direto do padrão de inserção e contribuição social efetivamente construído.

A utilização de nossos recursos, talentos e habilidades para servir e influenciar a sociedade, em busca de reconhecimento público e retribuição compensadora está na base das decisões tomadas por um indivíduo em relação à profissão, carreira, ou a qualquer outra atividade que permita uma atividade concreta no campo social. É que a busca de honra e reconhecimento pelo que fazemos de concreto no plano social, muitas vezes, inspiram essas escolhas profissionais.

No décimo setor, nosso corpo, posses e recursos se reúnem com os outros para formar e manter a existência material de empresas, organizações e instituições no âmbito da sociedade, as quais serão geridas para produzir ainda mais recursos.

Nesses ambientes, construímos nossa habilidade de gestão, de administração de recursos coletivos, sociais.

Não se trata apenas de gerir os recursos pessoais, como no sexto setor, mas de lidar com questões que extrapolam nossos interesses individuais. Aprendemos igualmente a lidar com hierarquia, regras, normas de funcionamento, outro elemento marcante do décimo setor.

Uma vez adquiridas essas habilidades, estamos prontos para as experiências do décimo primeiro setor, que irão aprofundar e ampliar as conquistas relativas ao quadrante SOCIAL.

11. O décimo primeiro setor de nosso esquema corresponde aos GRUPOS SOCIAIS e à busca por segurança social.

Os Seres Humanos encontram grande conforto quando descobrem que existem outras pessoas que podem compreendê-lo, aceitá-lo, e que compartilham com ele suas inclinações intelectuais, suas preferências, ideias, objetivos,ideais, seu modo de ver a vida.

O sentimento de pertencimento ao grupo, a busca de segurança social, através da interação com grupos, amigos, causas e ideologias sociais representam a temática do décimo primeiro setor.

A maneira que funcionamos como parte de um sistema, nosso grau de sinergia, de conexão com grupos também estão representados nesse setor. Esses padrões de conexão surgem, são estruturados, concretizados e estabilizados quando compartilhamos ideais e crenças entre amigos e nos grupos a que pertencemos.

A busca por segurança social, intelectual e mental também nos leva a adotar vastos sistemas de pensamento: político, metafísico, científico, como forma de respaldar as atividades de grupos, os movimentos de mudança social e de transformação coletiva. Em suma, a nossa sensibilidade para novas tendências, o anseio por reformas sociais e o engajamento em grupos e organizações que defendam e realizem esses ideais.

No décimo primeiro setor, atingimos a consciência social, a mente coletiva e global, retratada nos avanços tecnológicos atuais, tais quais internet, inteligência artificial, mídias sociais, tudo que proporciona a experiência de nos tornarmos algo maior do que somos em nível puramente individual.

12. O décimo segundo setor de nosso esquema é o ALTAR de nossa alma.

Começando pelo primeiro setor, o crescimento individual permitiu diferenciarmos completamente nosso EGO de outras coisas ou pessoas, incluindo nossa mãe. Ao final do décimo primeiro setor, porém, percebemos que em um sistema todas as partes estão interligadas, inter-relacionadas. Quem somos, influenciados pelos outros, e os outros influenciados pelo que somos.

Freud, Jung, Piaget, Melanie Klein e grande número de psicólogos modernos estão de acordo em afirmar que a primeira estrutura de consciência de uma criança não é capaz de distinguir sujeito/objeto, ignorando limites, espaço e tempo.

Assim, todos experimentamos o anseio de retornar a esse estado de totalidade vivenciado no **útero materno**. Todo indivíduo guarda a intuição de que sua natureza mais profunda é ilimitada, infinita e eterna. O anseio de totalidade e transcendência.

O décimo segundo setor representa a área do aperfeiçoamento emocional, do aprimoramento da alma.

Esse setor revela a fase final do processo de crescimento, no qual precisamos assumir a responsabilidade, assimilar os resultados de todas as experiências vividas nos demais setores. Em um nível mais profundo, indica o anseio de paz para alma, decorrente da entrega total a uma unidade mais elevada, obtida pela dedicação a um ideal transcendente.

Esse resultado pode ser obtido por meio de gratificações provisórias tais quais o álcool, as drogas e todos os escapismos e fugas. Todavia, essa paz, esse estado de comunhão, transcendência e totalidade pode ser atingido de modo mais saudável – pelos múltiplos caminhos da religiosidade e da espiritualidade.

O significado original da palavra sacrifício é "tornar sagrado". Algo que foi tornado sagrado ao ser oferecido ou sacrificado no ALTAR aos deuses. Nesse sentido, o décimo segundo setor aponta para o nosso anseio em nos sacrificar por uma causa humanitária.

Em resumo, no décimo segundo setor, progredimos da união com alguns poucos indivíduos para a comunhão com o coletivo, através do próprio sacrifício em favor de causas humanitárias, em busca de transcendência. Sentimos a alegria e a dor do mundo.

Conclusão

Nos quatro primeiros setores, observamos o longo processo no qual o indivíduo nasce, torna-se consciente de sua própria existência, de seu corpo, de sua mente, de seu ambiente familiar, de sua herança familiar e étnica, bem como de suas emoções e sentimentos. Está concluído o trabalho de formação, desenvolvimento e aperfeiçoamento da individualidade, a meta e a tarefa do quadrante pessoal, composto pelos setores de 1 a 4 de nosso esquema.

Surge agora a necessidade de exprimir e compartilhar nossa individualidade com os outros, por meio dos relacionamentos interpessoais. Aprimoramos nossa identidade na interação com o outro, desenvolvemos a percepção da diversidade de características dos nossos semelhantes, estabelecemos nosso padrão de relacionamento interpessoal, experimentamos uma espécie de morte do Ego, uma fusão com o outro, e, consequentemente a necessidade de regeneração decorrente da permuta. Esse processo será realizado no quadrante interpessoal, composto pelos setores de 5 a 8 de nosso esquema. O percurso dos últimos quatro setores (9 a 12) nos levam ao campo social. A meta agora não se resume ao relacionamento com outros indivíduos, mas inclui também a conexão com grupos, comunidades, etnias e a própria humanidade. Surge a necessidade de inserção, atuação e integração com a sociedade.

No que tange à IDENTIDADE, no primeiro setor construímos nossa identidade, no anseio de nos tornarmos uma pessoa separada, distinta, autônoma, independente. No quinto setor, consolidamos, concretizamos e expressamos essa identidade, através da criatividade e do poder cocriador, nas relações interpessoais. No nono setor, reavaliamos nosso senso de identidade, passamos a ver a vida e a nós mesmos no contexto mais amplo da sociedade, buscando identificar leis e princípios universais que geram e governam a vida e os seres.

No tocante aos RECURSOS, no segundo setor consolidamos e concretizamos o corpo e seu acervo patrimonial (Capital); no sexto setor nosso corpo particular, nossos recursos diferenciados e nossas habilidades únicas são aprimorados, delineados e utilizados (Trabalho). No décimo setor, nosso corpo, posses e recursos se reúnem com os outros para formar e manter a existência material de organizações e instituições no âmbito da sociedade, que serão geridas para produzir mais recursos (Organização e Gestão).

Em relação à MENTE, no terceiro setor o desenvolvimento mental e o aprendizado da linguagem nos tornam aptos à interação, visando alcançarmos o desenvolvimento e o aprimoramento mental. No sétimo setor, o relacionamento interpessoal nos coloca em contato com a mente e a perspectiva do outro, auxiliando no processo de definição de nossa própria mente, e possibilitando a formação de um padrão de interação interpessoal. No décimo primeiro setor, consolidamos e concretizamos nossas ideias, concepções e modelos mentais através da formação de amizades, da participação em grupos, aonde nos reunimos e compartilhamos ideias com aqueles que pensam da mesma forma.

Por fim, em relação ao alicerce das EMOÇÕES, da alma, no quarto setor fortalecemos e aprofundamos nossa raízes emocionais, familiares, culturais e étnicas. Sentimos nossa própria alegria e dor. No oitavo setor, nossos sentimentos são agitados, purificados, regenerados, tanto quanto consolidados e aprofundados nos relacionamentos íntimos com outras pessoas, através da partilha e da permuta. Sentimos a alegria e a dor de alguém muito próximo. No décimo segundo setor, progredimos da união com alguns poucos indivíduos para a comunhão com o coletivo, através do próprio sacrifício em favor de causas humanitárias, em busca de transcendência. Sentimos a alegria e a dor do mundo.

O mapa se encontra em nossas mãos!

Compreendemos o território, suas características, sua amplitude. É preciso estabelecer a rota, escolher o percurso, ou como dizem na linguagem da aviação: Traçar nosso plano de voo... Mas antes disso, precisamos realizar um *checklist*. Sem essa ação, não teremos permissão dos "Órgãos de Controle" do espaço aéreo para alçar voo. É exatamente o que faremos no próximo capítulo.

SETOR	CONSTRUÇÕES INTERNAS	CONSTRUÇÕES EXTERNAS
1 PERSONA e suas atuações IDENTIDADE	Construção da Identidade nos tornando uma pessoa separada e distinta; Formação das nossas "personas" para interagir com o exterior; Liberação da força da vida; Nosso modo peculiar de começar novas fases da vida, novos ciclos. (Ação da Identidade)	PERSONA; APARÊNCIA Física; Nossa EMANAÇÃO (energia) pessoal;
2 CORPO e suas posses, seus bens RECURSOS VALORES	Consolidação e concretização dos Recursos de ordem material e intangível, a começar pelo corpo físico; Aquisição de patrimônio, posses; Estabelecimento dos nossos valores e desejos prioritários; (Segurança Material)	CORPO; Bens materiais, recursos, POSSES; VALORES; DESEJOS; Patrimônio Intangível;
3 MENTE (racional, concreta) e suas INTERAÇÕES	Aprendizado e aperfeiçoamento da nossa MENTE racional, concreta, encarregados dos pensamentos sequenciais e racionais, a parte que controla a fala, que analisa, abstrai, memoriza e classifica a experiência; Aprendizado e aprimoramento da LINGUAGEM e da Comunicação; Exploração do ambiente que nos cerca; Desenvolvimento das nossas INTERAÇÕES: com o mundo, como as pessoas próximas da nossa infância, com os outros. (Desenvolvimento e Aprimoramento da MENTE)	Ambiente aonde desenvolvemos e aprimoramos a MENTE, e suas interações; LINGUAGEM; Ambiente das nossas primeiras INTERAÇÕES sociais, na Infância; Local onde interagimos com Parentes próximos, principalmente aqueles que contribuíram para a formação do nosso modelo ou mapa mental; Local aonde aprimoramos nossos modelos cognitivos, nosso mapa mental;
4 LAR FAMÍLIA e vínculos familiares ETNIA e CULTURA	Construção de nosso alicerce ou base de operações no nível interno; Fortalecimento e aprofundamento das nossas raízes emocionais, familiares e culturais; Formação da família e dos vínculos familiares; Construção de um Lar; Busca das nossas raízes étnicas e culturais; Busca das nossas tradições; (Ação da Alma / Atividade Emocional)	LAR; FAMÍLIA, ou local aonde temos contato com nossa herança familiar; Local que ativa nossa Constelação Familiar; Ambiente aonde entramos em contato com nossa HERANÇA Étnica e Cultural; Local onde cultivamos nossas TRADIÇÕES;
5 ATELIER da personalidade FRUTOS ou OBRAS da nossa criatividade FILHOS CRIANÇA INTERIOR	Consolidação, estabilização e expressão da nossa IDENTIDADE por meio de nosso poder criativo; Necessidade de adquirir SEGURANÇA PESSOAL no nível da Identidade; Necessidade de sermos reconhecidos como especiais, únicos; Habilidade de produzir, de criar a partir de dentro (dons/talentos); Consolidação da nossa criatividade por meio de frutos ou obras concretas que guardem nossa marca tais como os FILHOS; Consolidação da nossa identidade por meio das relações interpessoais; (Segurança da Identidade)	"ATELIER" da personalidade Ambiente aonde expressamos nossa identidade, nosso poder cocriador; Local onde nos sentimos especiais, relevantes e influentes; Local onde expressamos nossos dons e talentos, nossa criatividade; FILHOS como extensão da nossa identidade, como expressão do nosso poder cocriador; Ambiente onde liberamos nossa "Criança Interior"; Romances, Interações que reforcem nossa identidade;
6 OFICINA da personalidade ESCOLA TÉCNICA das nossas habilidades no mundo físico	Reavaliação, Aprimoramento, e aperfeiçoamento dos nossos Recursos tangíveis e intangíveis; Nossos potenciais e habilidades para agir no mundo material; Desenvolvimento da nossa capacidade de servir, da nossa força de trabalho, da nossa disciplina; Habilidades manuais; Conexão Corpo/ Mente/ Emoções e nossa saúde interior; (Aprimoramento da Habilidade Material)	OFICINA da personalidade; ESCOLA TÉCNICA das nossa habilidades no mundo físico; Local onde aperfeiçoamos, refinamos e purificamos nossa habilidade para atuar no mundo material; Nossa força de trabalho e capacidade de servir; Ambiente onde exercemos disciplina, onde experimentamos a rotina; Nos s a conexão Corpo/ Mente/ Emoções e o nível de nossa saúde interior;

SETOR	CONSTRUÇÕES INTERNAS	CONSTRUÇÕES EXTERNAS
7 CASAMENTO e relacionamentos afetivos SOCIEDADES e ASSOCIAÇÕES	Construção de um padrão de interação interpessoal; Ingresso e participação no casamento ou relações similares; Aquilo que atraímos no outro, nosso "Parceiro Interior"; Ingresso e participação em sociedades e associações como membro efetivo ou fundador. (Atividade de Interação / Relacionamento Interpessoal)	CASAMENTO; Relacionamento Interpessoal; "PARCEIRO INTERIOR" (Aquilo que atraímos nos outros, mas que existe de modo oculto em nós); SOCIEDADES e ASSOCIAÇÕES da qual participamos como membros, sócios e fundadores;
8 CASA DE CÂMBIO e sistema de PERMUTAS	Consolidação e concretização de nossa estabilidade emocional; Aquisição de segurança para alma; Nosso sistema de permuta nas relações interpessoais; Nossa sexualidade enquanto processo de permuta e fusão com o outro para alcançar segurança emocional; Exposição e partilha das partes ocultas da nossa natureza; Morte, fusão com o outro, regeneração e purificação. (Segurança da Alma/Segurança Emocional)	CASA DE CÂMBIO das nossas relações interpessoais; Local ou ambiente onde efetuamos a PERMUTA de valores no nível emocional; Local ou ambiente onde buscamos SEGURANÇA para a ALMA; Ambiente onde lidamos com os bens, valores, e com a SEGURANÇA EMOCIONAL dos outros.
9 ACADEMIA do SER	Conhecimento , reavaliação e reorientação do nosso senso de Identidade para atuação na esfera social; Aprimoramento da INTUIÇÃO; Busca do Significado da existência, da Verdade e da Liberdade; (Aprimoramento da Identidade)	ACADEMIA do SER; Ambiente onde desenvolvemos e aprimoramos a INTUIÇÃO; Sistemas educacionais, filosóficos e religiosos onde buscamos o significado da existência, a verdade, as leis que regem a vida; Local onde aprendemos, reavaliamos e aprimoramos nossa compreensão do mundo e de nós mesmos;
10 PROFISSÃO e atividade profissional	Movimento para produzir, organizar, administrar e supervisionar RECURSOS; Definição do nosso PADRÃO de inserção e contribuição social; Definição da nossa vocação ou carreira; Ingresso e participação efetiva em Empresas, Organizações e Instituições; (Atividade Material na Sociedade)	Nosso PADRÃO de inserção e contribuição social; PROFISSÃO, Atividade Profissional, Carreira; área ou setor de nossa contribuição produtiva para a sociedade; EMPRESAS, ORGANIZAÇÕES e INSTITUIÇÕES por nós geridas, ou da qual participamos;
11 GRUPOS SOCIAIS	Consolidação e concretização de nossa ESTABILIDADE SOCIAL; Estabelecimento de nossa SOCIABILIDADE; Ampliação do nosso padrão de interação para abarcar a sociedade; (Segurança Social)	GRUPOS SOCIAIS; Ambiente onde exercemos nossos ideais políticos e sociais; Local onde buscamos SEGURANÇA, ESTABILIDADE SOCIAL;
12 O ALTAR	Aspiração de voltar ao estado de totalidade experimentado no útero materno; Anseio de totalidade e transcendência; Desejo de realizar algum sacrifício por uma causa humanitária; Nossa religiosidade e espiritualidade; (Aperfeiçoamento Emocional/Aprimoramento da Alma)	O ALTAR Ambiente onde buscamos comunhão e transcendência; Ambiente no qual exercemos nossa religiosidade e espiritualidade; área onde nos sacrificamos em favor de uma causa humanitária;

05
A integração de si mesmo

Hoje, no mundo inteiro, chegamos a um ponto em que o homem parece saber tudo e não entender nada. É ótimo reunir dados e correlacionar fatos, estatisticamente, mas uma excessiva concentração sobre pormenores faz perder o contato com o poder integrativo, sinfônico e coerente do Todo.

(Stephen Arroyo)

A entrada do Comandante e de sua tripulação na Aeronave dá início aos minuciosos processos chamados inspeção interna e externa, em que todas as superfícies externas e sistemas internos do avião são examinados e conferidos segundo uma ordem pré-definida, culminando com a leitura do *checklist*. Vale lembrar que para cada fase do voo, desde a preparação da cabine até o estacionamento do avião no final do voo, há um *checklist*.

Na inspeção externa são examinados o trem de pouso, os pneus, a superfície das asas, a fuselagem, as tomadas estáticas e dinâmicas de ar. Ao passo que na inspeção interna, são verificados todos os sistemas da aeronave, sendo os quatro principais: de combustível, elétrico, hidráulico e de pressurização.

A leitura do *checklist* ou lista de verificações visa conferir se cada elemento está em perfeito funcionamento, e se cada um deles está integrado ao todo, ao sistema. Trata-se do "poder integrativo, sinfônico e coerente do Todo".

Nos capítulos anteriores, abordamos detalhadamente a "Aeronave Humana", nosso "Equipamento Psíquico", suas peças e seu funcionamento. Chegou o momento de responder à questão: Quais são os elementos unificadores do psiquismo? É hora do *checklist.*

Em seu livro Tipos Psicológicos, o psicólogo e psiquiatra suíço Carl Gustav Jung elaborou interessante teoria sobre os tipos psicológicos dos Seres Humanos, posteriormente aperfeiçoada por Katharine Cook Briggs e sua filha Isabel Briggs Myers, no Myers-Briggs Type Indicator (MBTI), um inventário ou questionário que auxilia na pesquisa e na catalogação dessa tipologia em cada indivíduo.

Jung considerou que a libido (energia psíquica) flui em dois sentidos:

1) no sentido da EXTROVERSÃO: a energia flui de dentro para fora da psique; as atitudes são orientadas

por fatores objetivos, externos (ideias e conceitos objetivos, pessoas e objetos socialmente valorizados);

2) no sentido da INTROVERSÃO: a energia flui de fora para dentro da psique; as atitudes são orientadas por fatores subjetivos, internos (ideias e conceitos subjetivos, pessoas e objetos pessoalmente valorizados).

A extrovers*ão* e a introvers*ão* estão presentes em todas as pessoas, de forma complementar. Uma delas permanece em nível consciente, como função principal, enquanto a outra permanece em nível inconsciente, como função complementar. Em resumo, se conscientemente sou extrovertido, inconscientemente sou introvertido. Por outro lado, se conscientemente sou introvertido, inconscientemente sou extrovertido.

No quarto capítulo, fizemos uma exposição detalhada dos 12 setores da experiência humana.

Partindo desse conceito de extroversão e de introversão, podemos também dividir aquele círculo em duas partes: cada uma delas com seis setores. Assim, teremos os **setores pessoais (1 – 6)**, que dizem respeito à formação do indivíduo e de sua identidade, bem como aos elementos básicos necessários para se viver de forma autônoma, criativa, produtiva e saudável; e os **setores sociais ou coletivos (7 – 12)**, que dizem respeito à conexão desse indivíduo com os outros, seja em nível íntimo dos relacionamentos afetivos, seja em nível das associações, sociedades, instituições, ou mesmo, em um nível transcendente da unidade com o restante do cosmos.

Podemos conceber os setores pessoais (1 – 6) como o ambiente da introversão, ao passo que os setores sociais ou coletivos (7 – 12) nos remetem ao ambiente da extroversão. Desse modo, quando me pergunto: Com quais setores eu mais me identifico? Na verdade, estou investigando qual é a função que predomina em mim, extroversão ou introversão.

Disposições básicas da psique

Jung percebeu que a *psique,* além de possuir duas disposições básicas (extroversão e introversão), também possui quatro funções psíquicas gerais: sensação e intuição (funções de percepção ou irracionais) e pensamento e sentimento (funções de julgamento ou racionais) que são, igualmente, mecanismos de adaptação do indivíduo à sua realidade objetiva e subjetiva.

Originalmente, Jung classificou essas funções gerais de racionais e irracionais, mas Myers e Briggs, criadoras do MBTI, preferiram adotar a terminologia funções gerais de percepção e julgamento.

As funções gerais de percepção (sensação e intuição) definem as duas maneiras possíveis de receber informações sobre algo interno ou externo ao sujeito. A função sensação percebe através dos órgãos dos sentidos físicos, capta a realidade presente, do cotidiano, do mundo material e palpável. Por sua vez, a função intuição capta significados, relações, possibilidades futuras, percebendo a natureza e a essência dos fenômenos (objetos, pessoas, fatos).

E as funções de julgamento (pensamento e sentimento) definem as duas maneiras possíveis de se avaliar as informações recebidas e de tomar decisões. A função pensamento discrimina, classifica, categoriza, ordena de forma lógica, abstrata e dialética, criando modelos e sistemas teóricos. Por sua vez, a função sentimento, que não deve ser confundida com emoção e afeto, atribui valor a partir de critérios morais, religiosos, sociais, estéticos, todos de cunho subjetivo.

Essas funções psíquicas formam pares opostos, porém complementares.

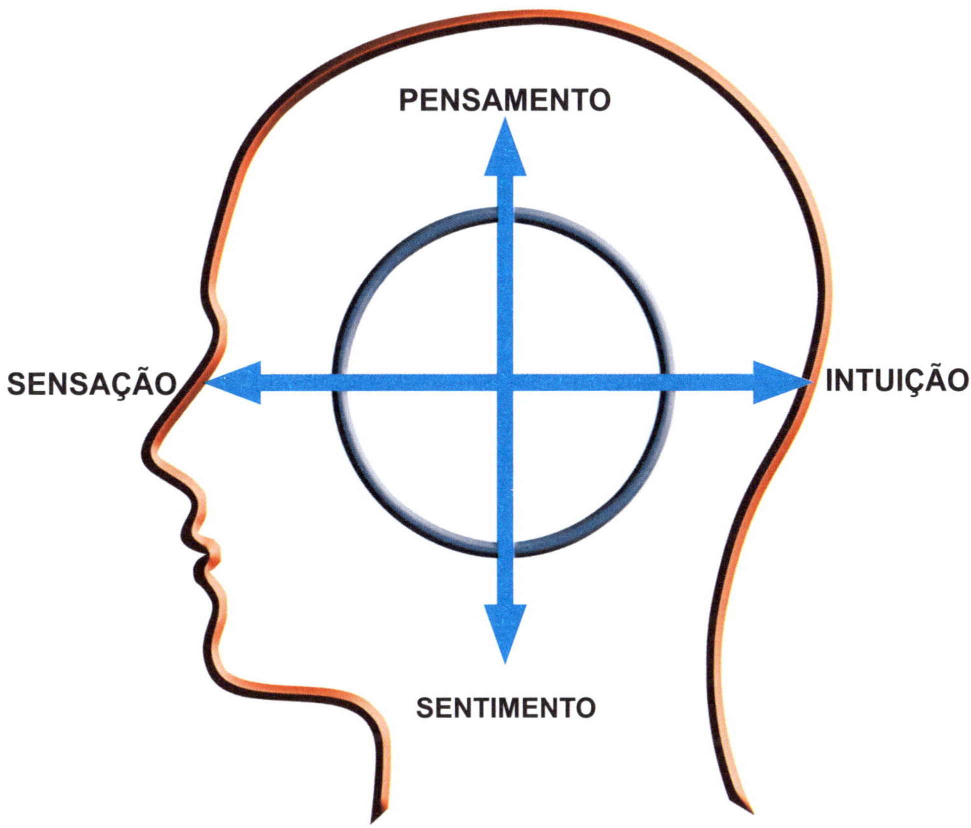

Assim como todas as pessoas possuem as duas disposições psíquicas – *extroversão e introversão*, uma predominante e outra inconsciente, possuem igualmente as quatro funções psíquicas gerais. Todavia, elas estão escalonadas em diferentes graus de consciência e potencialidade.

Todos trazemos uma função principal, mais desenvolvida, utilizada de forma mais consciente, e outras três funções que variam em grau de desenvolvimento, utilização e consciência. A função auxiliar é atuante e reconhecida pela consciência, embora menos intensa que a principal. A função terciária é rudimentar e inconsciente, ao passo que a função inferior é a mais inconsciente de todas, a mais rudimentar e menos diferenciada.

O autoconhecimento exige a descoberta das disposições e funções psíquicas inconscientes. No processo de individuação, em que o indivíduo acessa e depura elementos inconscientes de sua psique, é necessário integrar nossas funções rudimentares, indiferenciadas, sob pena de elas se tornarem "sombra"[5] e atuarem sobre nós através do mecanismo da projeção, assuntos já explicados em capítulos anteriores do livro.

A partir desse modelo sintético de tipos psicológicos, podemos nos perguntar: Qual é minha disposição

5 A definição de Jung para "Sombra" foi muito bem explicada por Edward C. Whitmont, analista de Nova York, ao dizer que sombra é "tudo aquilo que foi reprimido durante o desenvolvimento da personalidade, por não se adequar ao ideal de ego". É por assim dizer a parte animalesca, primitiva da personalidade humana.

psíquica básica, introversão ou extroversão? Qual é minha função psíquica principal? E a secundária, a terciária, a inferior?

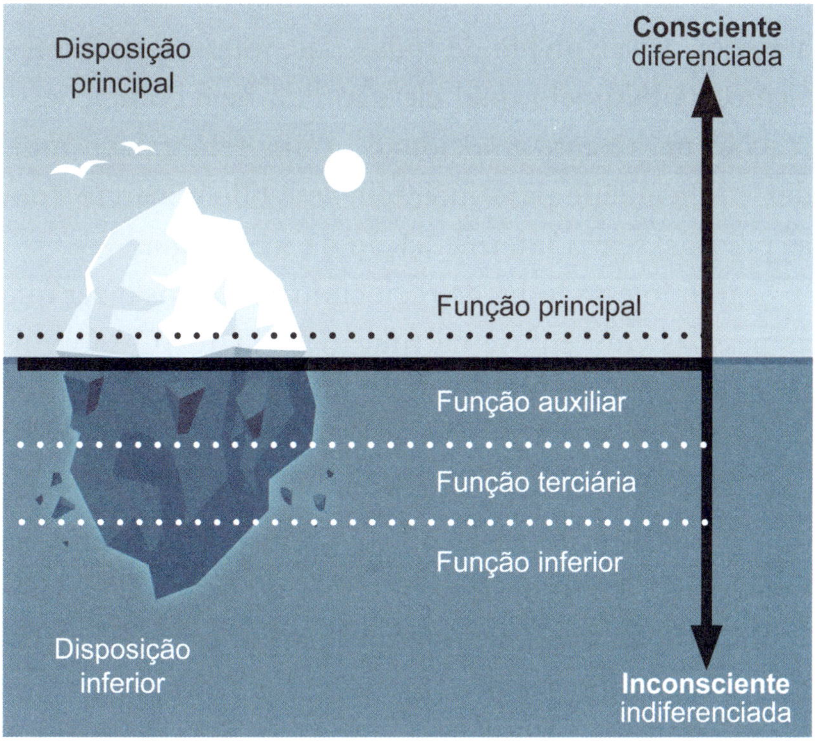

A título de exemplo, imagine um adolescente introvertido que passa horas no seu *tablet* ou celular, navegando pela internet, jogando videogames e assistindo a séries. No relacionamento familiar, ele se apresenta tímido, retraído, mas no ambiente virtual dos jogos ele interage de tal maneira com seus pares que expressa seu lado extrovertido inconsciente. Sua função psíquica principal é claramente a do pensamento, mas ele é também bastante intuitivo e visual. Tudo isso pode contribuir para um pouco de ansiedade e hiperatividade. Por outro lado, sua função sensação não é muito desenvolvida, o que pode explicar certa dificuldade com os esportes físicos, e sua pouca conexão com o corpo. A sua função sentimento é a menos desenvolvida de todas elas, totalmente inconsciente, motivo pelo qual ele não lida bem com ações e reações puramente emocionais, o que reforça sua timidez e dificuldade para interagir de modo concreto com as pessoas, sem a intermediação da tecnologia.

Seguindo essa linha de raciocínio, podemos dizer que as pessoas com ênfase na função **INTUIÇÃO** são voltadas para a antecipação, a visualização e a expectativa do futuro. Isso as torna intuitivas, imaginativas, criativas, com intensa necessidade de liberdade, de espaço, de expressão e de variação. O cotidiano, a rotina, as limitações do corpo físico e do mundo material são um verdadeiro aborrecimento para elas. Por esta razão, elas não são guiadas pelos cinco sentidos físicos, mas por profunda intuição, uma espécie de "faro", um mágico pressentimento inato. O foco no futuro, nas possibilidades e na mudança permanente podem torná-la insegura no trato com as questões do dia a dia, ou seja, seu grande desafio é o presente, os fatos concretos e o equilíbrio entre conservar e mudar. Lembra daquela colega de escola que, desde a adolescência, é ligada em assuntos de moda. Ela parece ter uma bola de cristal quando o assunto é tendências da próxima temporada. Está sempre ligada a tudo que surge de novo, embora não tenha muita paciência com os detalhes e com a execução prática dos seus planos. Todavia, seu otimismo, sua visão de futuro faz dela uma líder que sempre atrai outras pessoas capazes de executar, concretizar seus inúmeros planos.

Os indivíduos com ênfase na função **SENSAÇÃO** são voltados para a administração, o controle e a superação do presente. Isso as torna pragmáticas, produtivas, práticas, com intensa necessidade de segurança, conforto, ordem. Lidam muito bem com o cotidiano, a rotina, as limitações do corpo físico e do mundo material, e geralmente se destacam nas áreas que requerem disciplina, trabalho duro, dedicação, atenção, paciência, cuidado e foco. Elas são guiadas pelos cinco sentidos, pelos aspectos concretos, materiais, o que pode levá-las ao dogmatismo, à estreiteza de visão, à possessividade, e à simplificação, por causa do temor ao caos, ao desconhecido, ao mutável. Você deve se recordar daquele professor do ensino médio, muito pragmático e totalmente cético. O seu foco nas questões práticas e objetivas da vida davam a ele certa habilidade para lidar com detalhes do mundo concreto. Sua visão realista transformava as aulas de história em um seriado em que o ator principal sempre morria no final. Por outro lado, era possível descobrir, com suas aulas, que por trás de todo o discurso os Seres Humanos estão sempre em busca de coisas muito básicas: posse, prazer, poder e prestígio.

As pessoas com ênfase na função **PENSAMENTO** são voltadas para conceitos, sistemas, moral, valores, princípios, regras e qualquer coisa que possa ser traduzida em significado teórico, tudo utilizado para avaliar a experiência exterior. Elas são inclinadas ao pensamento abstrato, lógico, racional, impessoal. Estão em constante busca do entendimento das coisas, bem como da construção de um sistema lógico-racional capaz de explicar cada pormenor delas. Enfrentam bastante dificuldade em lidar com o lado da vida que desafia a sistematização, que recusa análises e estruturas, que não pode ser explicado verbal ou conceitualmente, ou seja, aquilo que as aborrece e fascina ao mesmo tempo: a expressão e a combinação das emoções. Por essa razão, podem dar a impressão de frieza, impessoalidade. Na verdade, porém, elas reprimem e controlam a tal ponto suas emoções que elas se tornam inconscientes. Em resumo, emocionalmente, elas possuem a simplicidade, a vulnerabilidade, a sensibilidade e a carência de uma criança. Sabe aquela amiga que já leu todos os livros que você separou para ler nos próximos três anos? Ela sempre é capaz de falar por trinta minutos sobre qualquer assunto, indicando os principais teóricos, suas falhas e suas virtudes. Comunicativa, inteligente, ela não está muito interessada em aplicações práticas, mas na beleza, harmonia e lógica das teorias. Se você quer agradá-la, compre aquele livro difícil e sofisticado, lançado na semana passada, que ela sempre elogia toda vez que fala com você, ou seja, a cada meia hora.

Tenha muito cuidado com as palavras que você usa para fazer uma crítica. Embora ela pareça bastante desapegada, no fundo é alguém muito sensível e insegura, e precisa de uma boa dose de atenção.

Os indivíduos com ênfase na função **SENTIMENTO** são voltados para experiência interior, individual, subjetiva dos instintos, desejos e sentimentos, elementos utilizados para avaliar a experiência exterior. Eles são inclinados ao irracional, ao inexplicável, e, às vezes, ao mágico, uma vez que sua percepção e linguagem estão apoiadas nos sentimentos, imagens, símbolos, que podem se expressar através do toque, da cor, do odor, da música, da imaginação, da arte e de tudo que se relacione com a imaginação e a sensibilidade. Estão em constante busca de relacionamento, já que para elas a coisa mais importante do mundo é o sentimento, e particularmente o objeto desse sentimento – que em geral é outro ser humano. Necessitam constantemente do contato com outras pessoas, do constante fluxo de sentimentos, da segurança do amor e dos relacionamentos. Sua dificuldade reside em sua tendência quase sufocante de viver através dos outros, custe o que custar. Seu humor segue o fluxo de suas emoções, um dia para cima outro para baixo, ou seja, são temperamentais. Em muitos aspectos, são encantadoramente infantis no que diz respeito ao mundo das ideais abstratas, da razão, do raciocínio lógico, enfim, possuem problemas com o raciocínio, pois sua mente opera com outros parâmetros. A sua inteligência é emocional. Todos temos uma avó, tia, ou a própria mãe que encarna perfeitamente esse tipo. Ela é uma doçura, embora bastante sincera quando se trata de emoções. Você é capaz de sentir o calor do seu afeto. É como receber um tratamento diferenciado, personalizado, no qual podemos experimentar atenção, acolhimento e compaixão. Todavia, cuidado com assuntos muito intricados, que exigem raciocínios difíceis e longos, vá direto ao ponto e conte a conclusão do tema com palavras rápidas, simples, ou melhor, fale sobre como você se sente quando comenta sobre aquela teoria, quais emoções o livro te provocou, se você chorou quando assistiu ao filme. E nunca tente manipular ou esconder as emoções, porque essas pessoas conseguem perceber com precisão o que verdadeiramente estamos sentindo.

Uma vez definida minha tipologia, posso avaliar o seu impacto na maneira que utilizo meus dez potenciais psíquicos. A definição da minha tipologia precisa identificar de início se sou predominantemente introvertido ou extrovertido. Depois, preciso saber qual é minha função primária, qual a auxiliar, a terciária e a função inferior.

Podemos também aplicar essa tipologia a cada um dos dez potenciais da *psique*, explicados no capítulo três, a fim de verificar como ele se expressa concretamente na minha vida. Por exemplo, uma pessoa introvertida não se COMUNICA da mesma maneira que outra extrovertida. Alguém com ênfase na função sentimento lida muito melhor com seu potencial SENTIR/REAGIR do que alguém com ênfase no pensamento.

Desejos, necessidades e emoções

Na entrada do templo do oráculo de Delfos, os antigos gregos fizeram duas inscrições sobre o portal: "Nada em excesso" e "Conhece-te a ti mesmo".

O primeiro conselho é bem mais sutil do que parece à primeira vista. Não se trata apenas de refrear um comportamento repleto de vício e paixão, exagero e extravagância. Significa também não ser unilateral, ou seja, não enfatizar demasiadamente um determinado aspecto de nossa individualidade, em detrimento de outros. O segundo conselho é mais fácil de ser entendido, mas muito difícil de ser seguido. Nessa viagem ao nosso interior, precisamos igualmente de mapas, mas eles são escassos.

Hoje, além de termos de enfrentar a crise econômica, a crise de energia, ecológica, a superpopulação, o problema migratório e todos os demais desafios de nosso século, temos de acrescentar ainda a questão das relações humanas.

Rainer Maria Rilke, o grande poeta nascido em Praga, escreveu: "O que está em nós está à nossa volta". Carl Gustav Jung formulou a mesma questão de outra maneira: "A vida de um homem é a sua característica". Essas frases são essenciais para compreendermos a vida, e o propósito deste livro.

A trama interior que constitui um indivíduo – emoções, desejos, fantasias, sonhos, talentos, amores, ódios, conflitos – é como um ímã que atrai pessoas, objetos e circunstâncias que tenham a mesma substância, ou ainda, um instrumento que ressoa na tonalidade em que é tocado.

Assim, o que nos acontece é, de alguma maneira, um reflexo, uma fotografia simbólica de algo que está dentro de nós mesmos. Isso significa que somos responsáveis por tudo aquilo que chega até nós, pela criação de nossos mundos e da vida que temos.

A objetividade absoluta é um mito de nossa época. Nós vemos a vida e as pessoas através de nossos olhos, mas eles funcionam como um prisma, pois veem tudo do ponto de vista de nossa personalidade. Em resumo, nosso olhar é extremamente seletivo.

O tolo espera que a vida seja mais fácil. O sábio aceita o que lhe é dado, e faz com que o resto se torne aquilo que ele deseja.

Nesse ponto de nossa reflexão, queremos agregar mais um "mapa" para nossa viagem interior, igualmente capaz de unificar nosso entendimento sobre as forças que atuam na intimidade do Ser Humano.

Que forças seriam essas?

Essas forças podem ser chamadas de EMOÇÕES e DESEJOS. O processo de ativação delas, bem como a maneira que elas se combinam para formar o ESTADO EMOCIONAL revelam muito sobre o nosso comportamento.

A palavra emoção, proveniente do latim *movere* (mover, colocar em movimento), representa o movimento psíquico, de dentro para fora, um modo de comunicar os nossos mais importantes estados e necessidades internas.

Podemos dizer, de modo simplificado, que situações exteriores experimentadas ao longo dos milênios de evolução da espécie acabaram por gerar automatismos biológicos e psíquicos. Esses automatismos, por sua vez, expressam-se através do sistema límbico e envolvem as EMOÇÕES, um gênero de reações automáticas do psiquismo ao ambiente externo.

Ligadas de modo inseparável às emoções estão as NECESSIDADES físicas e psíquicas, que nos levam a acionar os DESEJOS ou anseios de satisfação dessas necessidades. No entanto, toda vez que uma necessidade é satisfeita experimentamos EMOÇÕES, realimentando todo o processo novamente. As emoções, a seu turno, mescladas com as necessidades e desejos, e alteradas por outros elementos, produzem os estados emocionais. O processo pelo qual as emoções se transformam em estados emocionais é bem complexo, e será abordado no capítulo dois, da segunda parte deste livro.

Esse é o ciclo, mas não podemos esquecer que, nos Seres Humanos, os processos psíquicos tornam-se autônomos, relativamente independentes da experiência biológica, propriamente dita. As emoções, por assim dizer, passam a ter vida própria. Acostumamo-nos a elas, desejamos experimentá-las novamente, criamos hábitos em relação a elas. Por exemplo, o MEDO se manifesta mesmo que não haja qualquer ameaça física à nossa vida ou integridade, mas como decorrência de uma percepção mais sutil do que venha a ser algo ameaçador. Podemos sentir medo do abandono, do fim do relacionamento, da perda de um emprego.

Vamos detalhar um pouco mais esse ciclo. Comecemos, então, pelas necessidades.

Necessidades

O psicólogo americano Abraham Harold Maslow elaborou interessante teoria sobre a hierarquia das necessidades, que posteriormente foi traduzida, graficamente, na chamada "pirâmide de Maslow".

Para este autor, uma vez saciadas as necessidades fisiológicas, passamos para a fase das necessidades de segurança. Em seguida, surgem as necessidades sociais, que saciadas, abrem espaço para as necessidades de autoestima.

A sequência seria: necessidades fisiológicas, de segurança, sociais e de autoestima. A pirâmide abaixo ilustra essa ideia.

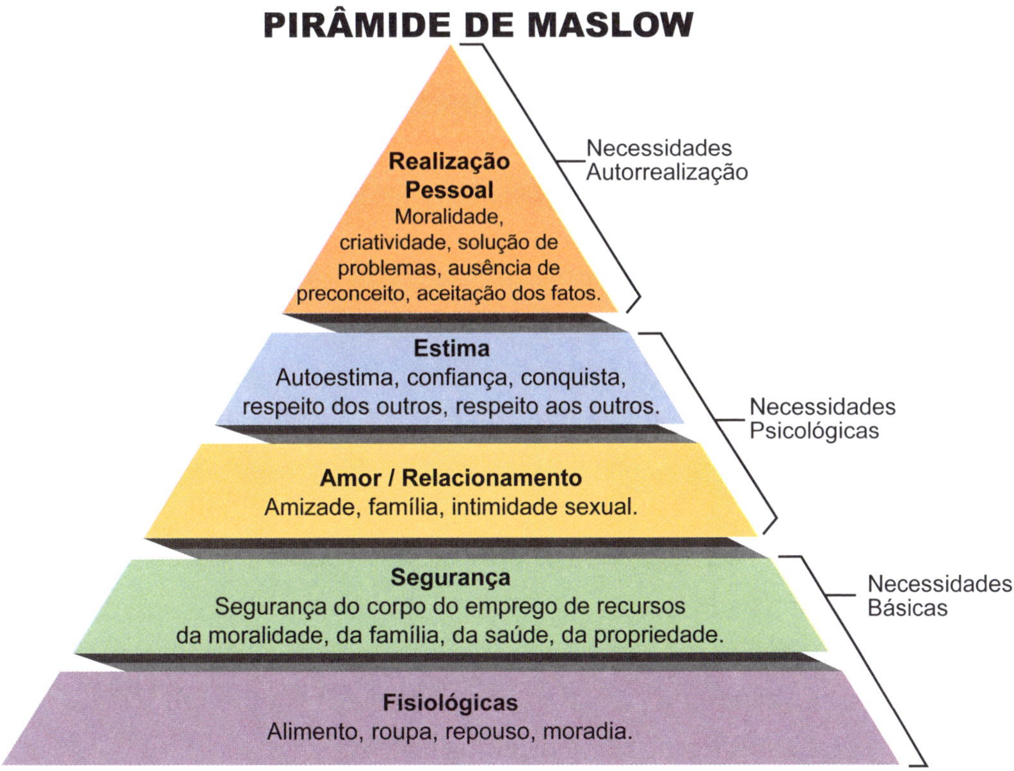

A nosso ver, o referido esquema é incompleto por duas razões: primeiro, porque não contempla as necessidades transcendentes do Ser Humano, aquelas situadas em um nível transpessoal. O próprio Maslow reconheceu essa lacuna quando fundou a psicologia transpessoal, juntamente com Stanislav Grof, Viktor Frankl, James Fadiman e outros; em segundo lugar, porque não organiza de forma lógica essas necessidades. Depois das questões fisiológicas, parece não haver uma justificativa razoável para a sequência dos outros níveis da pirâmide.

Nas próximas páginas, apresentaremos um quadro que pretende organizar as NECESSIDADES em uma ordem lógica, relacionando cada uma delas com os

DESEJOS e EMOÇÕES correspondentes. Todavia, antes disso, precisamos explorar um pouco mais o tema, ou melhor, o restante do ciclo.

Para concluir esse tópico, percebemos claramente nesse esquema de Maslow que os processos psíquicos tornam-se autônomos, relativamente independentes da experiência biológica, propriamente dita, à medida que subimos ou escalamos a pirâmide.

Compreendemos, igualmente, que cada uma dessas necessidades gera certo anseio correspondente para a sua satisfação, realização ou concretização. Esses anseios de satisfação das necessidades podem ser chamados de desejos.

No entanto, repetimos mais uma vez: Toda vez que uma necessidade é satisfeita experimentamos emoções, ou seja, o circuito é realimentado.

Em resumo, necessidades e desejos estão sempre conectados com as emoções. Nesse sentido, quando examinamos uma emoção, é preciso perceber que por trás dela há um desejo e uma necessidade correspondente.

A experiência humana de satisfação de uma necessidade específica produz, por sua vez, uma típica emoção correspondente.

Quando o indivíduo experimenta diversas vezes essa emoção específica, ela se torna psiquicamente autônoma, e se descola dos fatos concretos que a produziram. Ela se torna um processo psíquico interior. Esse processo deixa marcas permanentes em nossa psique.

Emoções

Exploremos, então, as emoções. Será necessário breve resumo das pesquisas sobre esse tema, a fim de que possamos propor novo modelo que possibilite uma visão sistêmica do assunto.

Na década de 60, Robert Plutchik, psicólogo e professor emérito do Albert Einstein College of Medicine, elaborou uma das mais influentes abordagens para a classificação das respostas emocionais primárias de um ser humano. Trata-se da *Teoria Psicoevolucionária Integrativa das emoções*, segundo a qual existem emoções primárias, compartilhadas pelos seres vivos, e desenvolvidas ao longo da sua evolução biológica a fim de incrementar sua aptidão reprodutiva, ou seja, com a finalidade de incorporar vantagem competitiva no processo de seleção natural.

Segundo o autor, cada uma dessas emoções dispara um comportamento de alto valor para a própria sobrevivência da espécie como, por exemplo, o medo que provoca a reação de "lutar" ou "fugir".

Partindo do modelo da "roda das cores" (círculo cromático), Plutchik concebeu um círculo de oito emoções básicas ou primárias que, de modo semelhante ao conjunto das cores básicas, podem assumir diferentes intensidades e podem se misturar para formar diferentes emoções secundárias.

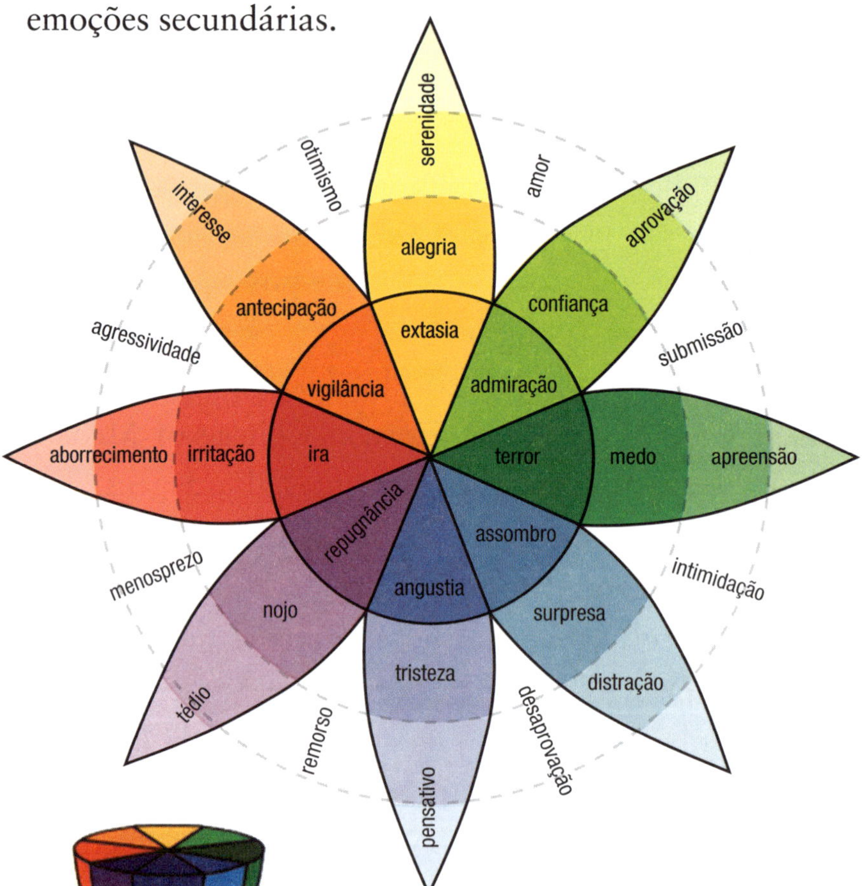

Modelo curvo em duas dimensões

Modelo curvo em três dimensões

Roda das Emoções de Plutchik

As oito emoções primárias para Plutchik seriam: **raiva** e **medo, tristeza** e **alegria, aversão** e **confiança, surpresa** e **antecipação.** Pode-se notar que elas ocorrem em pares ou polaridades. Essas emoções podem variar em intensidade: terror, medo, apreensão. Podem também se combinar para gerar novos elementos: medo + confiança = submissão.

Por se tratar de uma teoria que pressupõe a evolução biológica com base na seleção natural das espécies, Plutchik assevera que todas essas "emoções primárias" estão ligadas a questões de sobrevivência, ou seja, estão conectadas ao instinto de conservação.

Elas desempenharam um papel importante na adaptabilidade dos organismos vivos, para que pudessem lidar com as principais questões de sobrevivência apresentadas pelo meio ambiente.

Isso significa que, quando nossas emoções são ativadas, elas disparam um dos comportamentos de sobrevivência, como atacar, fugir, planejar, reter, engolir, vomitar. É claro que tudo isso ocorre em nível do automatismo.

O conceito de Plutchik é aplicável a todos os níveis evolutivos e a todos os animais, incluindo os seres humanos. As emoções, portanto, possuem uma história evolutiva e encontraram variadas formas de expressão nas diferentes espécies animais.

Para o eminente psicólogo, apesar das diferentes formas de expressão dessas emoções por cada uma das espécies biológicas, existem certos elementos comuns, ou protótipos, que podem ser identificados. Por essa razão, a sua teoria propõe a existência de um pequeno número de emoções básicas, primárias, ou prototípicas.

O autor assevera, ainda, que essas oito emoções primárias se manifestam nos "mecanismos de defesa"[6], buscando na psicanálise um suporte para a sua teoria.

Ficou claro que as emoções tiveram importante papel na evolução biológica, especialmente no que diz respeito à conservação e adaptação da espécie frente aos desafios da sobrevivência e do meio ambiente. Nos Seres Humanos, elas continuam a desempenhar esse papel biológico, como demonstram os estudos de neurociência relativamente ao sistema límbico de nosso cérebro. No entanto, a partir do complexo desenvolvimento cerebral do *Homo Sapiens*, as emoções passaram a desempenhar também relevante função psíquica.

Compreendemos que as emoções possuem uma história evolutiva, porém, é bastante útil investigar como elas estão atualmente configuradas no Ser Humano. Nesse sentido, Plutchik utilizou a analogia do círculo cromático, contudo não a levou às últimas consequências.

Acreditamos que o modelo de Robert Plutchik é incompleto. Esse autor, na tentativa de explicar cronologicamente

---

6 Mecanismos de defesa são mecanismos psicológicos inconscientes que reduzem a ansiedade decorrente de estímulos inaceitáveis ou potencialmente prejudiciais. É uma estratégia do Ego para proteger a personalidade daquilo que ele considera uma ameaça. O Ego distorce ou suprime a realidade para evitar este desprazer, para afastar os conteúdos psíquicos desagradáveis. Os principais mecanismos são: Repressão (evita a realidade), Negação (exclui a realidade), Racionalização (redefine a realidade), Formação reativa (inverte a realidade), Isolamento (divide a realidade), Projeção (coloca sentimentos na realidade) e Regressão (escapa da realidade).

como surgem as emoções primárias, no curso da evolução das espécies animais, priorizou a jornada, mas não avaliou adequadamente o estado atual desse mesmo processo, ao abordá-lo na espécie humana.

Por exemplo: Hoje, quais são as nossas emoções primárias? Medo, Raiva, Repulsa, Tristeza? Haveria outras? Por que sentimos medo? Por que sentimos raiva?

Sabemos que o círculo cromático é composto de doze cores básicas, que originam todas as demais. Por que, então, Plutchik estabeleceu apenas oito emoções primárias?

A teoria das emoções primárias

Nossa proposta estabelece que existem doze emoções primárias, no Ser Humano atual, responsáveis por produzir todas as demais, pelo processo de combinação com outras, bem como pela variação de seu grau de intensidade.

Sendo assim, acrescentamos quatro emoções primárias ao modelo de Plutchik e relacionamos cada uma delas com os respectivos desejos e necessidades, elaborando um quadro mais coerente, capaz de explicar a riqueza e a complexidade das emoções humanas.

Ao considerarmos que cada uma dessas doze emoções primárias possuem necessidades e desejos em seu núcleo, conforme já explicado, é necessário explicar a ordem, a função e a correlação de cada qual.

Não podemos esquecer que cada uma dessas emoções desempenha um papel relevante nas questões de sobrevivência e adaptação de nosso organismo em suas relações com o ambiente e com os demais seres.

As doze emoções primárias, em nossa proposta, são: Medo e Confiança, Raiva e Empatia, Surpresa e Antecipação, Tristeza e Alegria, Reconhecimento e Participação, Repulsa e Atração. Pode-se notar que elas também ocorrem em pares ou polaridades, como no modelo de Plutchik. O esquema abaixo explica cada uma delas:

Medo

Proteção contra uma ameaça externa (pessoa ou objeto), considerada perigosa para a integridade e/ou sobrevivência daquele indivíduo, gerando a reação de fugir ou lutar.

Confiança

Proteção contra o desamparo (físico ou psicológico), que leva o indivíduo a buscar suporte mútuo, associação, colaboração em qualquer espécie de relacionamento, gerando o movimento de associar-se, consorciar-se, conjugar.

Raiva

Destruição, eliminação de barreiras, obstáculos que impedem, de modo permanente ou temporário, a satisfação de alguma necessidade ou desejo do indivíduo, gerando a ação de atacar, agredir, destruir.

Empatia

Destruição, eliminação de barreiras, obstáculos que impedem, de modo permanente ou temporário, a integração com o outro para a permuta de valores, sentimentos, ideias, assim também o compartilhamento de recursos ou habilidades, gerando a ação de integrar, cooperar.

Surpresa

Orientação ou reorientação ao entrar em contato com um ambiente, situação, fato ou pessoa desconhecidos, que colocaram o indivíduo no estado de curiosidades, excitação psíquica, gerando a atividade de examinar, conhecer, experimentar.

Antecipação

Orientação ou reorientação ao entrar em contato com um ambiente, situação, fato ou pessoa bem conhecidos, que colocam o indivíduo no estado de vigilância, planejamento, preparação, prospecção, gerando o ato de antever, antecipar, planejar, sintetizar, reformular, inovar.

Tristeza

Perda de algo (alimento, nutriente, abrigo) ou alguém, que coloca o indivíduo no estado de carência (física, emocional, psicológica), gerando a ação de reintegrar, recuperar, reaver o elemento perdido.

Alegria

Saciedade de algo (alimento, nutriente, abrigo) ou alguém, que coloca o indivíduo no estado de plenitude (física, emocional, psicológica), gerando a ação de manter, preservar, administrar, perpetuar o elemento conquistado.

Reconhecimento

Redução da sensação de solidão por meio da autoexpressão, do uso da criatividade, das habilidades e talentos, a fim de obter aprovação, gerando a busca por se destacar, monopolizar a atenção, ser admirado, ser reconhecido.

Participação

Redução da sensação de solidão por meio de envolvimento, participação ou engajamento em grupos sociais, círculos de amizades, causas, ideologias, a fim de contribuir com mudanças e inovações, que o indivíduo necessita experimentar, gerando a ação de participar, pertencer, fazer parte.

Repulsa

Rejeição a algo (veneno, alimento, situação) ou alguém (inimigo, adversário, opositor), interpretado como prejudicial, tóxico, desagradável, gerando a ação de afastar-se, libertar-se, liberar-se, separar-se, delimitar-se.

Atração

Aproximação a algo (alimento, situação) ou alguém (amigo, parceiro, companheiro), interpretado como benéfico, nutritivo, agradável, gerando o ato de assimilar, incorporar, absorver, fundir, unir-se, perder limites (fronteiras, demarcações).

Uma vez explicadas cada uma das emoções primárias, é necessário elaborar nova RODA DAS EMOÇÕES, seguindo a linha de pesquisa de Plutchik, porém com o acréscimo de mais quatro delas para que totalizem doze.

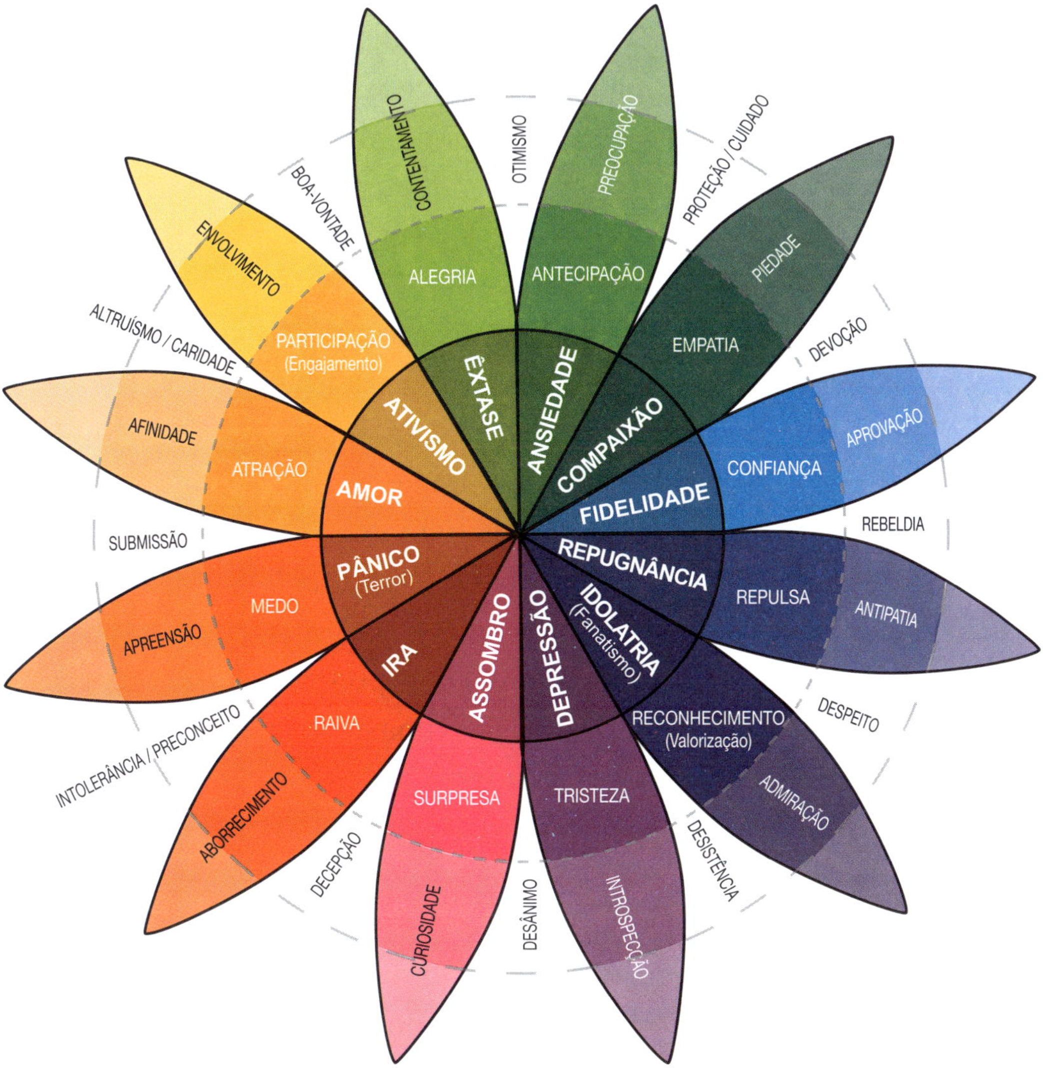

Nesse modelo, podemos atribuir uma das doze cores primárias, do círculo cromático, a cada uma das emoções, tornando a analogia mais consistente. Naturalmente, as emoções podem variar em intensidade, à semelhança das cores, assim também podem se misturar gerando outras emoções secundárias, do mesmo modo que as cores.

Essas combinações originam milhares de emoções, justificando a complexidade dos Seres Humanos e de suas reações.

No círculo, podemos perceber que as emoções se agrupam por pares opostos e complementares. Não há juízo de valor sobre essas emoções, pois todas elas desempenham importante função evolutiva para o Ser Humano.

Cada uma delas pode variar em intensidade. Nesse caso, quando uma emoção primária se torna mais intensa geralmente recebe novo nome, do mesmo modo que ao diminuirmos o grau de sua intensidade também substituímos sua nomenclatura. Esse é um fenômeno presente em todas as línguas.

Da mesma forma, as emoções podem se combinar com aquelas que estão próximas, ou mesmo com aquelas que estão mais distantes no círculo, gerando imensidade de novas emoções. Pesquisas apontam em torno de quarenta e duas mil delas, somente na espécie humana.

Por exemplo: quando combinamos Surpresa + Raiva, isso significa que você encontrou uma situação inesperada que o deixou furioso ou simplesmente aborrecido, gerando a **Decepção.** Quando combinamos Tristeza + Reconhecimento ou Valorização, isso quer dizer que os aspectos negativos foram priorizados a tal ponto que passamos a experimentar a emoção ligada à **Desistência,** pois não conseguimos encontrar um ponto positivo que possa contrabalançar os negativos.

A roda das emoções – necessidades – desejos

Uma vez definida a roda das emoções, podemos explorar com mais proveito a relação delas com as necessidades e desejos correspondentes.

Vale lembrar que psicólogos como Freud e Jung consideravam que a libido (energia psíquica) flui, circula pela psique. Qual seria, então, o combustível dessa energia? Qual o alimento da psique humana?

Novamente, a resposta é: as EMOÇÕES.

Os Seres Humanos se alimentam de emoções. Elas dão colorido à vida, são o motor do barco. Fazem com que nos sintamos vivos.

Nos variados climas do mundo, há quem se nutra de tristeza, de insulamento, de prazer barato, de revolta, de conflitos, de ironia, de discussões sem fim, de cálculos, de aflições, de mentiras... há também os que se alimentam de alegria, compaixão, fraternidade, idealismo, espiritualidade, religiosidade... Cada um busca o alimento com o qual se identifica, ainda que essa identificação seja mórbida.

Nesse ponto, precisamos repetir: as NECESSIDADES nos levam a acionar os DESEJOS ou anseios de satisfação dessas necessidades, e toda vez que uma necessidade é satisfeita experimentamos EMOÇÕES.

Desse modo, a experiência humana de satisfação de certa necessidade específica produz, por sua vez, uma típica emoção correspondente. Quando o indivíduo experimenta diversas vezes essa emoção específica, ela se torna psiquicamente autônoma e se descola dos fatos concretos que a produziram. Ela se torna um processo psíquico interior. Esse processo deixa marcas permanentes em nossa psique. Torna-se AUTOMATISMO.

Assim, nós estamos sempre em busca de emoções, e sempre as experimentamos de modo involuntário no contato com o meio ambiente. Elas comandam até mesmo as pessoas aparentemente mais racionais. Nessas pessoas, porém, as emoções operam em nível inconsciente.

Compreendendo o assunto nesses termos, podemos postular o seguinte fluxo: EMOÇÃO (Automatismo) – NECESSIDADE – DESEJO – ESTADO EMOCIONAL. Considerando que já encontramos as doze emoções básicas e explicamos cada uma, precisamos descobrir a necessidade biológica e/ou evolutiva ligada a cada uma delas e o correspondente desejo que concretiza essas necessidades.

Nossa teoria amplia e desenvolve a pirâmide de Maslow, emprestando mais organização, método, sistematização ao assunto, além de integrar a contribuição de dois pesquisadores do tema: Plutchik e o próprio Maslow.

A partir das doze emoções primárias, identificamos as necessidades e desejos a elas vinculados, buscando uma explicação com base no processo evolutivo dos seres vivos.

A preservação da integridade corporal e da própria vida biológica é um imperativo da espécie.

Medo e confiança

O instinto de conservação desempenha papel relevante nas questões de sobrevivência e adaptação de nosso organismo, em suas relações com o ambiente e com os demais seres. Ele está presente em todos os seres biológicos e constitui o alicerce de toda a vida psíquica, gerando diversas necessidades e desejos na criatura.

Assim, ao experimentar circunstâncias que implicam risco iminente ou futuro à sua integridade corporal, ou à própria existência, surge a necessidade de segurança e/ou proteção. A proteção pode ser conseguida atacando-se o inimigo ou juntando-se a ele e ao seu grupo. Fazer parte de um grupo de indivíduos da mesma espécie também confere segurança.

Por esta razão, há duas maneiras de satisfazer a necessidade de Segurança e/ou Proteção: pela autoafirmação ou pela interação/relacionamento. O desejo de se autoafirmar, seja lutando ou fugindo da ameaça, bem como o anseio de se unir a outro membro da espécie, ou de se juntar a um grupo, ambos satisfazem a essa necessidade de Segurança e/ou Proteção.

As emoções ligadas a cada um desses desejos/anseios são MEDO e CONFIANÇA. Elas constituem pares opostos e complementares porque estão conectadas à necessidade de Segurança e/ou Proteção.

Raiva e empatia

A necessidade de conquista e/ou aquisição, de um alimento, de uma vantagem competitiva, de um benefício gera os desejos/anseios de posse ou permuta (troca), que são modos de satisfação dessa necessidade. Adquirimos alguma coisa tomando posse dela, ainda que à força, ou trocando, permutando com outro membro da espécie.

As emoções ligadas a cada um desses desejos/anseios são RAIVA e EMPATIA. Elas constituem pares opostos e complementares porque estão conectadas à necessidade de Conquista e/ou Aquisição.

Surpresa e antecipação

A necessidade de variedade gera os desejos/anseios de excitação ou exploração, que são modos de satisfação dessa necessidade. A evolução exige dos seres alto grau de adaptabilidade, a fim de poderem agregar fatores competitivos que garantam a sobrevivência e a perpetuação da espécie. Para tanto, precisam incorporar o elemento mutação, que somente se adquire lidando com o inesperado ou explorando aquilo que se conhece apenas parcialmente.

As emoções ligadas a cada um desses desejos/anseios são SURPRESA e ANTECIPAÇÃO. Elas constituem pares opostos e complementares porque estão conectadas à necessidade de Variedade.

Tristeza e alegria

A necessidade de plenitude gera os desejos/anseios de recuperação ou saciedade, que são modos de satisfação dessa necessidade. Quando um organismo perde algum nutriente, em virtude de alimentação insuficiente ou inadequada, entra em um estado de depressão orgânica. Por outro lado, quando tem acesso ao alimento adequado e suficiente e pode ingeri-lo sem obstáculos, a sensação é de nutrição, saciedade. Do ponto de vista psíquico, quando perdemos algo, experimentamos também uma espécie de depressão, esvaziamento, um desejo de recuperar, de reaver o que foi perdido. Ao contrário, quando temos acesso ao objeto valorado, nossa reação psíquica é de preenchimento, satisfação, um desejo de manter o que está sendo usufruído.

As emoções ligadas a cada um desses desejos/anseios são TRISTEZA e ALEGRIA. Elas constituem pares opostos e complementares porque estão conectadas à necessidade de Plenitude.

Reconhecimento e participação

A necessidade de relevância gera os desejos/anseios de valorização ou protagonismo (mudança/inovação), que são modos de satisfação dessa necessidade. A dança do acasalamento, as disputas por uma fêmea, a liderança e proteção do grupo por um de seus membros são todos fenômenos ligados a essa necessidade de relevância em nível pessoal ou social/grupal.

As emoções ligadas a cada um desses desejos/anseios são RECONHECIMENTO e PARTICIPAÇÃO. Elas constituem pares opostos e complementares porque estão conectadas à necessidade de Relevância.

Repulsa e atração

A necessidade de integração gera os desejos/anseios de purificação/expurgo ou conexão/absorção, que são modos de satisfação dessa necessidade. O expurgo de algum alimento estragado ou venenoso também se reflete em nível psíquico quando o indivíduo busca a catarse de conteúdos que se tornaram prejudiciais, realizando uma espécie de purificação ou integração interna. Do mesmo modo, a conexão com outros indivíduos representa a potencialização da espécie, seja através da reprodução em nível biológico, seja por meio da união psíquica, que proporciona a ampliação e absorção de qualidades.

As emoções ligadas a cada um desses desejos/anseios são REPULSA e ATRAÇÃO. Elas constituem pares opostos e complementares porque estão conectadas à necessidade de Integração.

Eis o ciclo que está implícito na conjugação de Necessidade / Desejo / Emoção.

A pergunta que devemos fazer nesse ponto do nosso estudo das emoções é: No conjunto das doze emoções primárias há uma Emoção (Automatismo)/Necessidade/Desejo/Emoção principal em cada indivíduo? Alguma que receba um foco, uma ênfase?

A resposta é sim! Existe um DESEJO ou EMOÇÃO CENTRAL em cada indivíduo, responsável por guiar suas escolhas, moldar suas ações, mesmo que não se tenha consciência dele.

Devemos descobrir em nós essa força primária, porque ela é responsável pela existência de um núcleo, um foco em cada indivíduo, capaz de moldar seu destino.

Elaboramos, ao final do livro, um exercício que pode ajudar a responder a essa questão. Você vai preencher com um lápis cada uma das doze fatias da Roda das Emoções: (Automatismo) / Necessidades / Desejos / Emoções, de acordo com o papel que cada uma delas ocupa em sua vida. Se a importância for reduzida, você preenche apenas um terço, se for mediana, o colorido deverá abranger a metade da fatia, e assim por diante...

Depois de fazer e refazer, calibrar e retificar, você terá uma fatia que se destaca das demais. Essa é o foco da sua personalidade. É a sua questão principal, o seu DESEJO CENTRAL, aquilo que polariza todas as suas energias.

Nosso *checklist* tem sido demorado e minucioso. Nesse momento, é necessário um inventário, uma síntese de tudo o que foi dito, para que possamos encerrar o capítulo com sensação real de "poder integrativo, sinfônico e coerente do Todo".

Para ajudar, também elaboramos um quadro de perguntas, ao final do livro, que irá conduzir nossa reflexão, facilitando o autoconhecimento e proporcionando uma visão global, sintética, essencial de nós mesmos. Nesse quadro, você deverá responder: Qual a sua orientação psíquica principal, introvertida ou extrovertida? Qual a sua função psíquica primária? E a secundária? Qual a terciária? Qual a função inferior? Qual a sua EMOÇÃO ou DESEJO central?

06

A integração com a natureza

O sentido torna suportável uma grande
parte das coisas – talvez tudo.
(Carl Gustav Jung)

A Andorinha-do-Ártico, como sabemos, percorre anualmente aproximadamente 71.000 Km, em sua longa migração do Polo Norte ao Polo Sul. Ela atravessa vastas regiões marinhas, experimenta bruscas mudanças no meio ambiente, vence enormes desafios, mas sabe aproveitar as oportunidades que surgem nos locais de reprodução, onde encontra alimentação e abrigo.

O quadro esquemático dessa migração nos revela fina sintonia entre a Andorinha-do-Ártico e os elementos cíclicos da Natureza: estações, clima, ventos, correntes marítimas.

É preciso dizer, porém, que nesse percurso ela irá encontrar inúmeras tribulações, através das quais irá adquirir fortaleza, paciência, resiliência e sabedoria. Tempestades, mudança dos ventos, pequenas alterações inesperadas no percurso, escassez de alimento, perda da sua penugem, ferimentos...

Todavia, a imensa adaptabilidade dessa pequenina ave e a extraordinária disposição em cruzar o planeta de uma ponta a outra, em busca de melhores condições de vida, sem se prender aos obstáculos e adversidades do percurso, e sem ficar apegada ao ponto de origem, representam lições profundas para todos nós.

Com as Aeronaves não é diferente...

Ao contrário do que muitos pensam, o que faz um avião subir do solo não são propriamente os motores, mas o par de asas. Na verdade, com a propulsão, os motores ajudam a criar um vento relativo em torno das asas (vento de proa) que impulsiona a aeronave para o alto. O formato das asas gera um diferencial de pressão, menor em cima e maior embaixo, que literalmente levanta o avião do solo, criando também a sustentação necessária para o voo. Assim, quanto maior a velocidade, maior o vento relativo, e por consequência maior a sustentação.

Quando criança, brincamos muito com isso. Mesmo nos dias com pouco vento, corríamos com nossas pipas, ocasionando um vento relativo responsável por empinar nosso brinquedo rumo às alturas.

Nesse caso, o vento relativo (vento de proa) representa o obstáculo, a adversidade que acabam por sustentar a aeronave, não somente na decolagem e no pouso, mas também durante todo o voo.

As normas da aviação, por questões de segurança e eficiência, recomendam que toda decolagem e pouso sejam feitos com o vento de proa, ou seja, na direção contrária do vento, a fim de diminuir a distância percorrida nessas operações, de modo a utilizar o mínimo de pista possível.

Quando dirigimos nosso olhar para os Seres Humanos, encontramos o mesmo gênero de desafios, mas nem sempre a mesma atitude. O que faltaria ao Ser Humano para lidar com a cíclica estação da crise? Que direção tomar, quando o local onde nos situamos ameaça nossa sobrevivência física ou psíquica? Como encarar os obstáculos, adversidades e desafios da vida?

É impossível viver de modo profundo e significativo sem experimentar a dor, sem atravessar tempos de crise, de colapso, de mudanças e rupturas importantes. Embora tudo isso seja óbvio e inevitável, o que nem sempre fica claro é o papel fundamental que a dor e a crise desempenham em nosso processo de crescimento e evolução.

A questão, nesse caso, não é cogitar sobre: "Como podemos evitar a dor, a crise ou a mudança?". O desafio é compreendermos e utilizarmos esses períodos de nossa vida com mais criatividade.

O fundador da psicossíntese, Roberto Assagioli, chamou a isso de "colaboração com o inevitável".

Para vivermos plenamente, precisamos experimentar e aceitar tanto a luz quanto a escuridão, tanto a alegria quanto a tristeza e a dor.

Não importa que tipos específicos de conflitos, traumas, paradoxos ou dilemas a vida nos apresente, todos eles possuem uma coisa em comum: eles não querem nos deixar do mesmo jeito que nos encontraram. Segundo o ditado popular "a vida é como uma pedra – ou nos tritura ou nos dá polimento".

No entanto, a descoberta do SENTIDO nos ajuda a atravessar a vida com integridade, sem nos despedaçarmos. Temos mais possibilidades de lidar construtivamente com a dor e com as crises quando encontramos algum tipo de sentido, de significado, relevância ou propósito na situação que estamos atravessando, naquilo que temos de suportar.

Particularmente, a crença de que a vida pede que enfrentemos períodos de dor e crise, para desenvolvermos certas qualidades e características que não seriam desenvolvidas se não tivéssemos passado pelo desafio desses momentos, confere sentido e propósito à minha própria existência. Assim, as dificuldades econômicas que enfrentei para concluir minha formação acadêmica acabaram por me tornar disciplinado, persistente e resiliente.

É por esta razão que, nesse ponto de nossa reflexão, precisamos voltar nosso olhar, mais uma vez, para a natureza e seus ciclos, mas dessa vez com um objetivo específico: **a nossa integração com ela.**

A performance da Andorinha-do-Ártico e da Aeronave dependem dessa integração, mas sobretudo sabem extrair vantagens dela, concentrando todo o esforço e energia nessa sincronia e evitando o desgaste decorrente da resistência tola aos padrões de regularidade e ordem.

Na natureza, tudo obedece a padrões de regularidade e ordem, que podem ser observados e mensurados com precisão. Todos os elementos naturais exibem harmonia e previsibilidade. Sem esses padrões, não seria possível o conhecimento humano, muito menos a ciência. Tudo se move e se altera no momento certo. Há uma Lei de mutações, de mudança, que é permanente e universal, cíclica e ordenada.

A sabedoria chinesa, com referência à Lei das Mutações, cunhou o seguinte ditado: "Nunca as mesmas flores, mas sempre a primavera". Os fenômenos são inumeráveis e distintos, porém todos eles são regidos pelos mesmos e constantes princípios, em seu contínuo processo de mudança.

Nosso maior desafio, nessa intrigante jornada chamada vida humana é, portanto, observar, contemplar, conhecer e respeitar os padrões de mudança.

No entanto, diante da mudança, da tribulação e da dor experimentamos muitas emoções, ou melhor, basicamente doze... medo, raiva, alegria, tristeza, repulsa, confiança... Naturalmente, isso depende de como concebemos o processo de mudança.

Nos capítulos anteriores, descobrimos que o nascimento nos retira daquele estado de plena identificação com a mãe e com o mundo, de ausência de limites, de falta de consciência de nosso corpo, emoções e pensamentos... daquele lugar em que acreditamos que somos uma extensão de nossa genitora. A partir da primeira respiração, assumimos nosso corpo individual e autônomo, e à medida que nos tornamos conscientes de nosso corpo, também nos tornamos conscientes de nossos limites – meu corpo termina em algum lugar, e o seu começa em outro. Isso é o que os psicólogos chamam de um *ego-corpóreo*.

Ao longo do desenvolvimento de nossa personalidade, adquirimos também um *ego-mental*, um *ego-emocional*, e assim por diante. Outras pessoas podem até compartilhar nossos pensamentos, ideias, emoções, mas nunca há absoluta coincidência entre elas e nós.

O EGO pode ser definido como o nosso senso de sermos um EU separado, com nosso próprio corpo físico, nossa mente, nossos sentimentos e emoções. Todavia, ao longo de nosso desenvolvimento, ele se expande para incluir mais e mais atributos.

Em resumo, começamos a vida pensando que somos tudo, mas gradualmente nossa identidade global e original se estreita para incluir certas qualidades e características e para excluir outras. Já foi dito que nosso EGO é uma edição limitada de nosso EU, pois ele é formado apenas daquelas partes que temos a disposição de aceitar.

Nosso EGO é, desse modo, uma espécie de linha divisória, de fronteira: tudo o que está do lado de dentro da linha definimos como EU, e tudo o que está do lado de fora é visto como NÃO EU.

A primeira linha de demarcação do EGO é a pele: o que está dentro sou EU, e o que está fora é NÃO EU. Como vimos no capítulo quatro, uma vez definida a identidade EGO, o segundo setor da experiência é o corpo e seus recursos/posses. Assim, várias coisas podem nos pertencer – meu carro, minha casa, minha família, meu emprego – mas, nada disso sou EU.

Há, porém, outra linha de demarcação dentro de nossa pele, ou seja, em nosso interior. Essa é a mais sofisticada de todas. Uma parte do que existe em nosso interior estamos dispostos a identificar como sendo nosso EGO, mas outras partes nós ignoramos, excluímos, reprimimos, ou, simplesmente, sequer temos consciência de que existem.

Podemos aceitar que parte de nós seja boa e amável, e negar a nossa parte cruel e destrutiva. Alguns fazem o contrário: identificam-se com seu lado frio e áspero e negam seu lado suave e mais sensível. Assim, as pessoas altruístas, caridosas, da mesma maneira, possuem um lado sombrio que precisa ser aprimorado, do mesmo modo que alguém violento possui uma ternura interior quando encontra as pessoas que ama, que precisa se expressar com mais frequência.

Os analistas Junguianos chamariam isso de fronteira *ego / sombra*.

O problema das fronteiras é que as batalhas, guerras e conflitos geralmente se iniciam nelas. Tão logo criamos fronteiras, seja entre nós e os outros, seja em nosso próprio interior, também criamos a possibilidade de conflitos entre os elementos que estão de cada lado dessa fronteira.

A mudança atua exatamente nas fronteiras de nosso EGO, desafiando antigos hábitos, antigos modos de ser, forçando-nos a remapear essas linhas divisórias de nossa identidade. Como Seres Humanos, ao criarmos poderosos hábitos, investimos muita energia tentando evitar a mudança, a dor e a crise. Talvez, por essa razão, o poeta

Kahlil Gibran tenha dito: "Tua dor nada mais é do que a concha que envolve o teu entendimento se quebrando".

Enfim, toda vez que a vida toca nessas linhas divisórias de nosso EGO, experimentamos a mudança como uma espécie de morte. Por isso, nem sempre é fácil fazer mudanças. A maioria de nós não gostamos de perder nada, nem mesmo dentes cariados ou cabelos fracos. E, principalmente, não gostamos de perder aquelas coisas das quais retiramos nosso senso de identidade: relacionamentos, empregos, salários, ideais, princípios, hábitos.

O trabalho de Elisabeth Kubler-Ross, que descobriu cinco degraus ou estágios pelos quais passavam os pacientes terminais até poderem aceitar a morte, pode nos auxiliar muito quando experimentarmos a morte de nosso EGO, ou seja, os ciclos da MUDANÇA em nossas vidas.

Segundo essa autora, esses cinco estágios são: negação, raiva, barganha, depressão e aceitação. No início do processo, negamos que algo de muito grave esteja ocorrendo. Tão logo não seja mais possível ignorar, reagimos à dolorosa mudança com raiva: dos outros, da vida, de Deus. Percebendo a inutilidade dessa atitude, adotamos a estratégia da negociação com algum poder superior, na tentativa de afastarmos o inevitável. Esgotadas todas essas possibilidades, surge a intensa tristeza decorrente da compreensão de que haverá perda inevitável e grandiosa... Enfim, alguns de nós são capazes de atingir o último estágio, no qual a aceitação produz serenidade e resignação.

Quando a crise é aceita, junto com essa aceitação pode vir o reconhecimento de que aquilo por que tivemos de passar foi uma parte necessária de nosso crescimento e desenvolvimento.

O primeiro passo é ACEITAR que existe uma Lei de mutações, de mudança, que é permanente e universal, cíclica e ordenada.

Avançando em nosso processo de crescimento interior, é necessário compreender o que podemos controlar e o que não podemos controlar. O futuro não está absolutamente determinado, pois existem inúmeras variáveis atuando a cada segundo. Sendo assim, gastar nossa energia tentando prever o futuro, as crises e as mudanças é perda de tempo.

Necessitamos de total concentração naquilo que podemos controlar. Aquilo que está em nosso círculo de influência e/ou atuação deve merecer toda nossa energia de planejamento, estratégia, execução e avaliação.

Aquilo que não podemos controlar deve ser observado, contemplado, estudado, de modo a adquirirmos experiência e sabedoria. O ditado popular a esse respeito é muito interessante: "Não lute com a onda, aprenda a surfar".

O segundo passo é COMPREENDER as forças que estão em jogo no processo de mudança, algumas delas fora de nosso controle, outras sob a nossa responsabilidade.

Ao considerarmos os eventos circunstâncias meramente externas que nos acontecem, deixamos de compreender a parte que nos toca quando experimentamos, interpretamos e damos significado a esses eventos. Sem falar naquela parte inconsciente que provoca os acontecimentos... Exatamente, nós provocamos os acontecimentos, ainda que de modo inconsciente. Acreditamos que "a realidade de uma pessoa brota de sua paisagem interior de pensamentos, sentimentos, expectativas e crenças". (Howard Sasportas)

Os eventos externos parecem desabar sobre nossas cabeças. Ainda assim, acreditamos em uma sincronia, ou sincronicidade, na qual esses eventos exteriores refletem, acompanham e são afetados por mudanças internas que estão acontecendo em nós naquele mesmo momento.

O terceiro passo é COLABORAR com o inevitável processo de mudança, acolhendo os aspectos interiores de nosso Ser que estão provocando as transformações.

É necessário repetir que, ao lidarmos com as periódicas crises da vida, é importante relembrar três questões fundamentais:

1) O que está acontecendo?

2) Como está acontecendo?

3) Aonde, em que área da minha vida, está acontecendo isso?

Em outras palavras, todas as crises ocorrem de maneira pessoal, individual, mas sempre em alguma área de sua vida. Essa área, naturalmente, pode afetar muitas outras, é claro. Porém, há um foco, um núcleo básico, dentro do qual e a partir do qual a mudança se irradia para os demais setores de nossa experiência.

Nesse ponto, o mapa que elaboramos com os setores da experiência pode ser muito útil para clarear nossa mente, auxiliando-nos a perceber as características do processo de mudança que estamos experimentando no momento.

O **quarto passo** é DELIMITAR o processo de mudança, percebendo qual setor da vida está sendo mais fortemente afetado naquele momento e quais setores também sofrem um reflexo desse processo.

Lao Tsé disse certa vez: "O oleiro faz um vaso, manipulando a argila, mas é o oco do vaso que lhe dá utilidade".

A integração com a Natureza e seus ciclos de mudança requer essa atitude de receptividade, maleabilidade, suavidade, aceitação e resignação, para que a vida nos preencha com seus dons mais preciosos.

Acontece, porém, que o ato de se esvaziar precede o dom da plenitude. É preciso manter o oco do vaso.

PARTE II

A navegação

07

A nave e o capitão

Eu sou o intervalo entre o meu querer e o que a vontade dos outros fez de mim.
(Fernando Pessoa)

O Comandante, também conhecido como Piloto em comando, é a pessoa responsável pela operação e segurança da Aeronave, durante todo o tempo de voo, mesmo que não esteja manipulando diretamente os controles.

As regras da ICAO (International Civil Aviation Organization) nos ajudam a compreender tão importante função. Em seu anexo 2, *Rules of the Air*, no item 2.3.1, *Responsibility of pilot-in-command*, encontramos a seguinte declaração: "O piloto em comando da aeronave, de acordo com as regras do ar, deve, manipulando os controles ou não, ser responsável pela operação da aeronave, porém, o piloto em comando pode desviar-se destas regras em circunstâncias que sejam absolutamente necessárias para a segurança do voo". O item 2.4 "Autoridade do piloto em comando da aeronave", acrescenta: "O piloto em comando de uma aeronave tem autoridade final sobre a aeronave, enquanto no comando".

Na primeira parte do Livro, mencionamos detalhadamente os recursos de nossa simbólica aeronave – a mente humana. Refletimos, também, sobre os padrões de regularidade e ordem presentes na Natureza.

Nosso foco, a partir de agora, será a navegação, a jornada migratória. E nesse sentido, a figura do Piloto em comando é fundamental para compreendermos o uso que está sendo feito da simbólica Aeronave como um todo.

Exploramos os potenciais da mente humana, os setores da experiência, as Emoções (Automatismo)/Necessidades/Desejos/Estado Emocional, de acordo com o papel que cada uma delas ocupa em nossa vida, mas chegou a hora de pensar no EU interior que comanda todos esses equipamentos psíquicos, aquele que toma as decisões e responde por elas, aquele que conduz a embarcação.

Acredito que todos temos um EU interior, profundo, que guia, desvenda e regula nosso crescimento e desenvolvimento humano. Do mesmo modo que uma semente contém a sua destinação e se dirige a ela com precisão, há uma parte de nós que sabe o que estamos destinados a nos tornar, sabe também o caminho que precisamos seguir para chegar lá.

As crises, rupturas e mudanças revelam o que nosso EU interior quer fazer acontecer para nós – o que o EU profundo pretende trazer à nossa atenção para desenvolvermos ou trabalharmos. Para cooperarmos com nosso crescimento e desenvolvimento interiores, precisamos ouvir o que se passa dentro de nós.

Se assim o fizermos, sentiremos essas crises como expressões de necessidades e inclinações profundas brotando do interior de nossa psique. É o nosso Comandante (piloto em comando) falando.

Nesse sentido, acima de todas as imperfeições, vícios, limitações e condicionamentos está o impacto determinante da VONTADE. É ela que decide o movimento ou inércia de toda a Aeronave.

Atuando de modo semelhante ao Comandante, ela pode impor a disciplina, a ordem e a harmonia a todos os elementos de nosso psiquismo. Naturalmente, estamos falando da VONTADE como força de comando proveniente do EU profundo, não dos caprichos do EGO.

Em nossa abordagem, porém, não ignoramos a força do inconsciente, nem discordamos de Carl Gustav Jung de que o EU profundo se localiza exatamente nele – no inconsciente. Lá também residem a sombra, os conteúdos reprimidos, do mesmo modo que os inesgotáveis potenciais de desenvolvimento. Quanto ao consciente, é justo reconhecer suas limitações e admitir ser ele a morada do EGO.

Essa premissa foi adotada nos capítulos anteriores, e sempre guiará nossas reflexões, a fim de evitarmos as soluções prontas e mágicas, as receitas de bolo, o misticismo e a superficialidade. Também não podemos perder nosso senso crítico, muito menos nossa faculdade de avaliação e discernimento.

Por outro lado, não podemos retirar do Ser Humano sua capacidade de transformação, renovação, crescimento e evolução. A história da humanidade nos autoriza a defender essa perspectiva, com base na observação de nossos ancestrais primitivos.

Em resumo, nosso equipamento biopsíquico é uma extraordinária Aeronave, mas ela precisa ser comandada, dirigida, operada por um Comandante (piloto em comando). Essa ideia poderosa é a fonte de inspiração do Livro *A Bússola e o Leme*. Vimos no capítulo cinco que o Ser Humano busca a satisfação de seis necessidades primárias, as quais estão conectadas com doze desejos e emoções primárias:

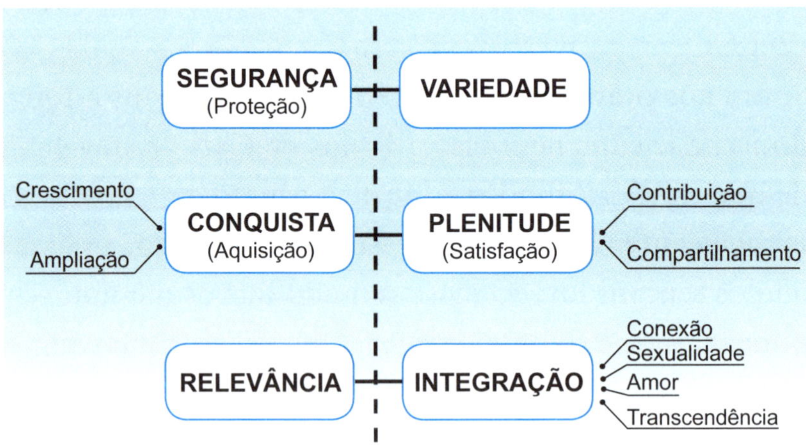

Ao examinarmos o círculo das EMOÇÕES (Automatismo) – NECESSIDADE – DESEJO – EMOÇÃO (ESTADO EMOCIONAL), percebemos que ele pode ser divido em quatro quadrantes, que expressam os anseios primordiais da criatura humana:

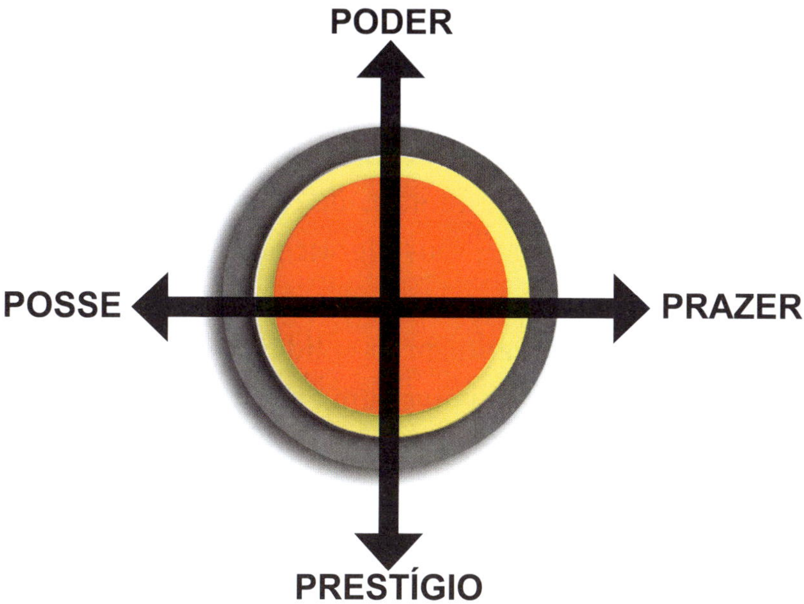

Essas seriam as quatro forças fundamentais que guiam o organismo biopsíquico em seu processo de manutenção, preservação e renovação da vida biológica, bem como seleção natural, aprimoramento e evolução da espécie: POSSE, PRAZER, PODER e PRESTÍGIO.

Avançando em nossa reflexão, vamos lançar mão de outras ferramentas valiosas para melhorar a condução de nossa Aeronave, mas sem perder o senso crítico quanto às limitações inerentes aos sistemas teóricos e suas respectivas ferramentas.

Na década de 70, na Califórnia/EUA, Richard Bandler e John Grinder desenvolveram uma abordagem de comunicação, desenvolvimento pessoal e psicoterapia. Embora conscientes dos abusos e deturpações praticados em nome dessa abordagem, bem como das limitações que lhe são próprias, é importante examinar os seus pressupostos.

A teoria foi desenvolvida no Vale do Silício, exatamente no momento em que cresciam vertiginosamente os métodos de programação de computadores, com sua linguagem peculiar, seus algoritmos e toda uma infinidade de ferramentas lógicas e matemáticas. Nesse ambiente, o programador precisa lidar com um equipamento *hardware*, desenvolver uma linguagem *software*, a fim de obter um resultado específico, fruto de um processamento computacional. Assim, o programador interpreta esse processo como um fluxo: entrada – processamento – saída. A etapa do processamento pressupõe a existência de um *hardware* e do respectivo *software* que comanda seu funcionamento.

Aplicando esse modelo ao Ser Humano, os criadores dessa abordagem afirmam que nosso sistema neurocerebral constitui o *hardware*, ao passo que nosso mapa mental representa o *software*. Nossos cinco sentidos seriam os receptores responsáveis por captar os sinais de entrada, ao passo que todo nosso organismo estaria encarregado de exibir, na saída, o resultado do processamento.

Ao considerarmos que o objetivo de todas essas abordagens é atuar na percepção e no processamento, levando o indivíduo a obter novos e melhores resultados, fica evidente que elas pressupõem a figura do Piloto em comando. Ao assumir que "o mapa não é o território", ela pretende ajudar alguém a mudar o modo como observa, percebe e representa o mundo.

Partindo dessas contribuições, da obra de Steven Pinker[7], do *Atlas das Emoções* de Paul Ekman, das conquistas na neurociência e agregando nossa contribuição para a teoria das emoções, exposta no capítulo cinco deste Livro, elaboramos uma ferramenta para abordar os ESTADOS EMOCIONAIS.

Lembramos que as emoções, mescladas com as NECESSIDADES e DESEJOS e alteradas por outros elementos, produzem os ESTADOS EMOCIONAIS. O processo pelo qual as emoções se transformam em estados emocionais é bem complexo, e será abordado nesse momento.

Esse tema, por mais difícil que pareça, está intimamente ligado ao desempenho ou performance de nosso Comandante (piloto em comando). Os estados emocionais mudam a maneira que vemos o mundo e o modo como interpretamos as ações dos outros. Evidentemente, isso impacta profundamente na maneira que conduzimos nossa Aeronave.

---

7 *Como a Mente Funciona*, Steven Pinker. São Paulo: Companhia das Letras, 1998.

O primeiro passo em direção à consciência emocional é aprender a identificar e descrever como estamos nos sentindo, e a razão pela qual estamos sentindo algo. Nesse caso, o objetivo é adquirir mais controle sobre o que desencadeia nossas emoções e nossas respostas comportamentais.

O modelo que iremos apresentar, já o dissemos, representa uma ferramenta cujo intuito é nos ajudar a construir um vocabulário de emoções e estados emocionais, iluminando nosso mundo interior.

Nossas emoções e estados emocionais se desdobram em uma linha do tempo. Essa linha começa com o evento ou estímulo, que esboça uma resposta do Sistema Límbico (SL) (automatismo/emotividade). Esse automatismo molda, plasma o elemento cognitivo (ideia). A combinação da emotividade automática com o sistema de ideias vigentes no psiquismo individual geram os complexos ESTADOS EMOCIONAIS. Esses, por sua vez, determinam as atitudes (linguagem não verbal) e as palavras (linguagem verbal), que juntas comandam as ações, o comportamento.

Na feliz síntese de Emmanuel: "O reflexo esboça a emotividade. A emotividade plasma a ideia. A ideia determina a atitude e a palavra que comandam as ações. Em semelhantes manifestações alongam-se os fios geradores das causas de que nascem as circunstâncias, válvulas obliterativas ou alavancas libertadoras da existência".

Nessa proposta, entendemos ser inexequível qualquer separação entre fisiologia e psicologia, visto que, ao longo da evolução biológica dos seres, toda a atividade nervosa se transforma, gradativamente, em vida psíquica.

Nesse ponto, compreendemos que a PNL ainda não se beneficiou integralmente das conquistas atuais da Neurociência. E não poderá avançar se não incorporar os conhecimentos dessa ciência acerca do modo que o cérebro capta os estímulos externos, reage automaticamente a eles, processa a informação e devolve em comportamento de alta complexidade, revelando atividade psíquica.

Essa atividade psíquica parece não se restringir aos aspectos puramente mecânicos ou materiais, conforme revela o atual debate mente-cérebro.

Conhecer a forma e o funcionamento de áreas específicas do cérebro tornou-se o objetivo de ampla investigação científica, tudo para compreender uma característica peculiar da espécie humana: o pensamento e a vontade.

O Ser Humano produz ideias, comunica-se através de símbolos linguísticos e semióticos, interage, relaciona-se, estabelece intricados processos de associação psíquica. Toda essa capacidade de pensar, porém, está diretamente ligada à emoção, como demonstram os estudos neuroanatômicos. Aliás, exploramos esse assunto ao tratar do estudo das emoções.

Na psiquiatria e nas áreas afins, a identificação das estruturas neurais relacionadas com as emoções desperta especial interesse nos investigadores que buscam compreender o comportamento humano. Técnicas especializadas de pesquisa em neurofisiologia, neuroimagem estão aprofundando nossa compreensão do Sistema Límbico.

Tudo indica haver profunda identificação entre os processos emocionais, os cognitivos e os homeostáticos.[8] Assim, os pesquisadores começam a reconhecer que as áreas cerebrais envolvidas no controle motivacional, na cognição, raciocínio, memória fazem conexões com diversos circuitos neurais que promovem respostas fisiológicas, capazes de colocar o organismo em condições de interagir com o meio interno e externo.

Com a ampliação das pesquisas, a ideia de um único sistema das emoções, o Sistema Límbico (SL) vem sofrendo reformulações, não somente com a inclusão de outras estruturas cerebrais, mas sobretudo com a proposta de sua substituição pelo conceito de Sistema das Emoções.

Esse Sistema das Emoções parece estar organizado em rede, que exibe complexa integração entre os seus vários componentes, os quais se organizam de forma não hierárquica, ou seja, aonde todos os elementos exercem papéis regulatórios semelhantes entre si.

---

8 Homeostasia: biologia – processo de regulação pelo qual um organismo mantém constante o seu equilíbrio [Termo criado pelo fisiologista americano Walter Cannon 1871-1945.]. Fisiologia – estado de equilíbrio das diversas funções e composições químicas do corpo (p.ex., temperatura, pulso, pressão arterial, taxa de açúcar no sangue etc.).

Toda essa pesquisa reflete a busca permanente pelo Comandante (piloto em comando) que se esconde por detrás da máquina, na cabine da Aeronave.

O cérebro é a cabine de comando, aonde esse Comandante expressa seus sentimentos e pensamentos, bem como dirige toda a estrutura física e psíquica (aeronave).

Precisamos acrescentar algumas informações técnicas da neurobiologia, antes de apresentar nosso modelo para o "fluxo em rede" do processamento das emoções e pensamentos, no cérebro humano.

Por se tratar de informações altamente técnicas, o leitor poderá pular esses parágrafos, caso não tenha interesse, indo direto ao gráfico, cujo objetivo é explicar de modo simplificado e incompleto, porém pragmático, o complexo processamento da mente humana, especialmente das emoções.

* * *

No artigo acadêmico, intitulado "Neurobiologia das Emoções"[9], encontramos o seguinte esclarecimento:

9 "Neurobiologia das Emoções", Centro Universitário Serra dos Órgãos (Unifeso), *Revista de Psiquiatria Clínica*. Autores: Vanderson Esperidião Antonio, Marilia Majeski colombo, Diana Toledo Monteverde, Glaciele Moraes Martins, Juliana José Fernandes, Marjore Bauchiglioni de Assis, Rodrigo Siqueira Batista.

"As informações que chegam ao cérebro percorrem um determinado trajeto ao longo do qual são processadas.

Em seguida, direcionam-se para as estruturas límbicas e paralímbicas, pelo circuito de Papez, ou por outras vias, para adquirirem significado emocional, dirigindo-se, ato contínuo, para determinadas regiões do córtex cerebral, permitindo que sejam tomadas decisões e desencadeadas ações – processos relacionados à autonomia (figura) – função geralmente dependente do córtex frontal ou pré-frontal".

Os autores prosseguem explicando a imagem da figura:

"As imagens certamente provocam, em sua maioria, ativação do córtex visual occipital (giro occipital e giro fusiforme), porém a amígdala também recebe quantidade substancial de estímulos provenientes das áreas temporais associadas à visão, participando na formação de memórias através dos circuitos hipocampais ou dos circuitos estriatais.

Tal fato decorre do papel especializado da amígdala no processamento de insinuações emocionais visualmente relevantes, sinalização do medo e aversão ou outras evidências. A ativação da amígdala pode estar primariamente envolvida na emissão de um alerta para ameaças provenientes da percepção obtida pelo córtex occipital".

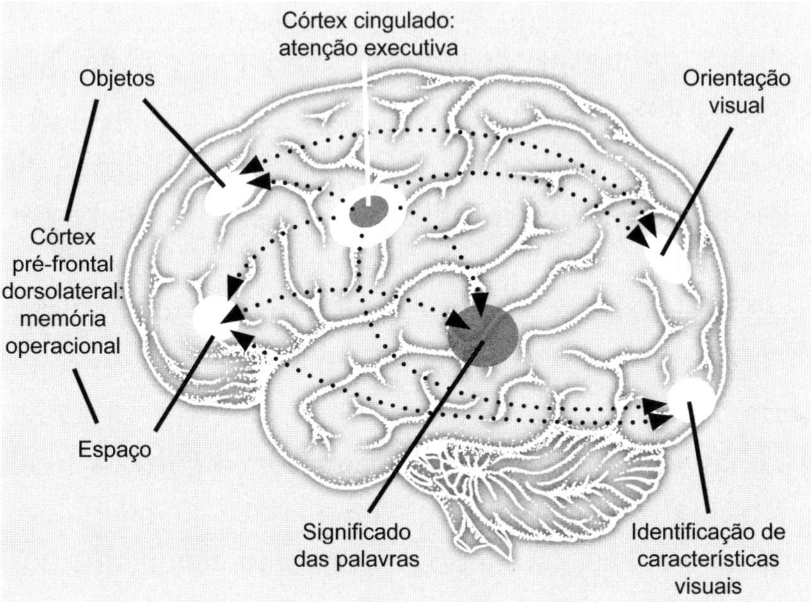

Por fim, para detalhar esse percurso envolvendo estímulo – processamento – resposta, os autores citam o pesquisador Abu-Akel:

"Como demonstrado por Abu-Akel, a integração de carga afetiva aos processos cognitivos ocorre, provavelmente, no complexo córtex orbitofrontal (COF) / córtex pré-frontal ventromedial (CPFVM). De acordo com esse pesquisador, as impressões sensoriais (como visão, audição e outras informações somatossensoriais) convergem, através do COF, para o CPFVM, de onde a informação sintetizada é levada às regiões do córtex pré-frontal dorsomedial e córtex pré-frontal ínfero-lateral para a tomada das decisões. Lesões no CPFVM causam prejuízo na capacidade de tomar decisões, geralmente caracterizado por inabilidade de adotar estratégias de comportamento adequadas às consequências de atitudes tomadas, levando à impulsividade. O CPFVM e o COF mantêm importante relação com a amígdala e ambos contribuem para a tomada de decisões, embora os mecanismos pelos quais isto ocorra sejam distintos. Acredita-se que essas regiões corticais recebam aferências da amígdala – as quais representem o valor motivacional dos estímulos – integrando-os e promovendo uma avaliação do comportamento futuro que será adotado. Embora a amígdala não estabeleça conexão direta com o córtex lateral pré-frontal, ela se comunica com o córtex cingulado anterior e o córtex orbital, os quais estão envolvidos nos circuitos da memória, tornando possível a justificativa de alguns autores de que a amígdala participa na modulação da memória e na integração de informações emocionais e cognitivas, possivelmente atribuindo-lhes carga emocional, possibilitando a transformação de experiências subjetivas em experiências emocionais. Lesões no córtex pré-frontal medial rostral levam à expressão inapropriada das emoções nos comportamentos sociais e ao prejuízo na tomada de decisões pessoalmente vantajosas. Estudos de neuroimagem demonstram que processos executivos são mediados pelo lobo frontal, particularmente o córtex cingular anterior (CCA) e o córtex pré-frontal (CPF). De acordo com essas investigações, o CPF medial está envolvido na associação do aspecto cognitivo ao emocional, sendo responsável pela avaliação e/ou interpretação cognitiva das emoções".

* * *

Essas citações de teor acadêmico servem apenas para alertar o leitor de que o assunto tem sido objeto de inúmeras pesquisas científicas. Portanto, não há misticismo ou ingenuidade em nosso modelo, embora estejamos conscientes da incompletude e simplificação inerentes a qualquer representação da realidade.

Elaboramos dois gráficos, um mais genérico que apresenta o "fluxo em rede" do processamento das emoções, da perspectiva dos componentes do cérebro envolvidos na operação; e outro gráfico utilizando uma linguagem da programação, realçando o fluxo da informação de modo didático.

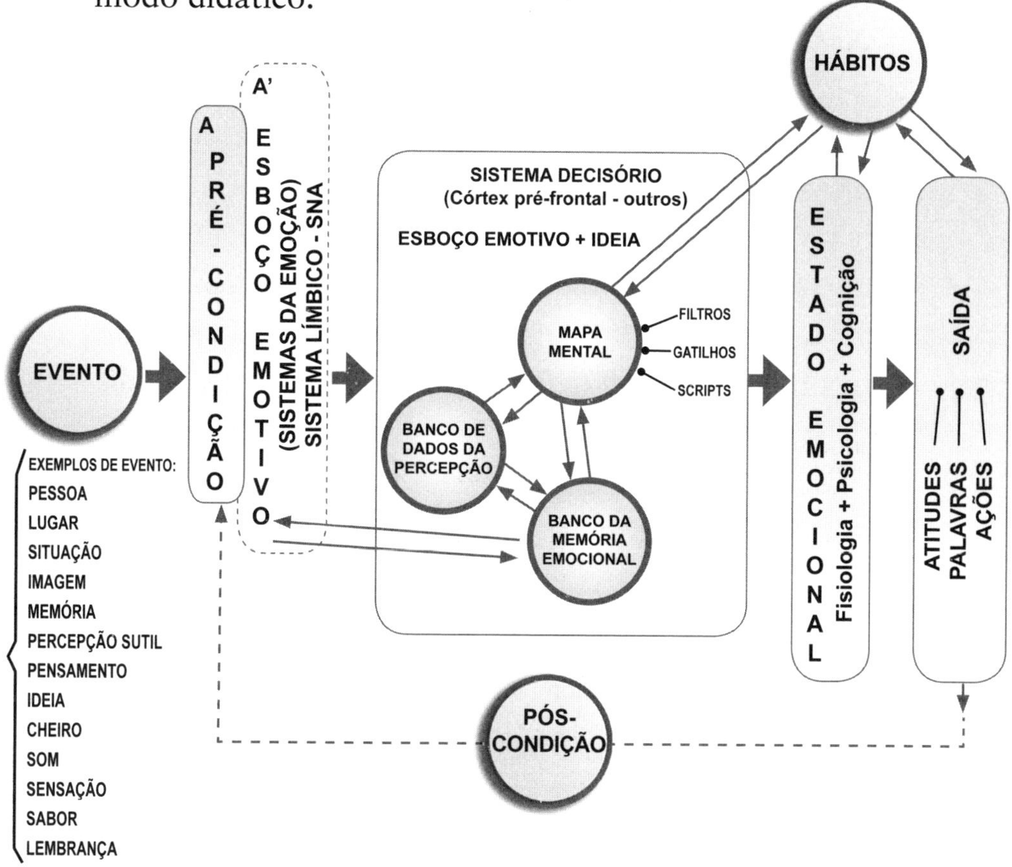

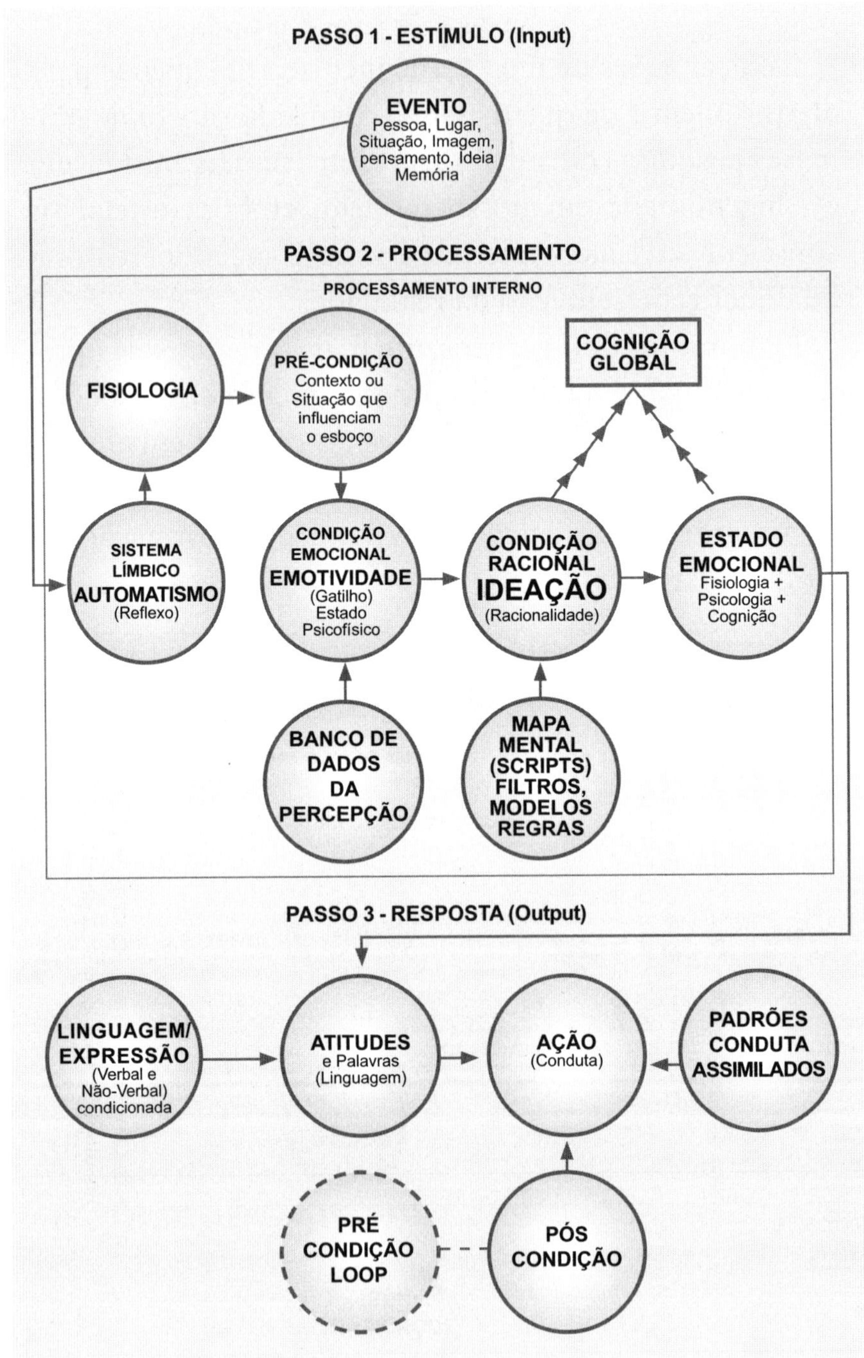
PASSO 1 - ESTÍMULO (Input)
EVENTO
Pessoa, Lugar, Situação, Imagem, pensamento, Ideia Memória
PASSO 2 - PROCESSAMENTO
PROCESSAMENTO INTERNO
FISIOLOGIA
PRÉ-CONDIÇÃO
Contexto ou Situação que influenciam o esboço
COGNIÇÃO GLOBAL
SISTEMA LÍMBICO
AUTOMATISMO
(Reflexo)
CONDIÇÃO EMOCIONAL
EMOTIVIDADE
(Gatilho) Estado Psicofísico
CONDIÇÃO RACIONAL
IDEAÇÃO
(Racionalidade)
ESTADO EMOCIONAL
Fisiologia + Psicologia + Cognição
BANCO DE DADOS DA PERCEPÇÃO
MAPA MENTAL (SCRIPTS) FILTROS, MODELOS REGRAS
PASSO 3 - RESPOSTA (Output)
LINGUAGEM/ EXPRESSÃO
(Verbal e Não-Verbal) condicionada
ATITUDES
e Palavras (Linguagem)
AÇÃO
(Conduta)
PADRÕES CONDUTA ASSIMILADOS
PRÉ CONDIÇÃO LOOP
PÓS CONDIÇÃO

No filme Invictus, William Henley afirma: "(...) ser o Senhor do meu destino e capitão da minha alma". Para alcançar tão arrojado propósito, torna-se necessário um conjunto de mudanças pessoais.

A compreensão do "fluxo em rede" do processamento das emoções, a catalogação das doze emoções básicas, com suas variações e combinações, a identificação das necessidades e desejos que se ligam a cada uma delas, todo esse conjunto de conhecimentos tem um propósito: Adquirir um vocabulário emocional, o mais amplo e profundo que for possível.

Esse vocabulário nos auxilia a identificar, reconhecer, nomear, acolher, lidar, administrar e experimentar sem culpa cada uma das nuances de nossa vida emocional. Não há efetivo comando da Aeronave sem essas habilidades.

O mundo está dividido, adoecido, sem rumo... muito dessa desorientação se deve ao fato da desconexão com nossa vida emocional.

Aprendemos muitas coisas em diversas instituições de ensino, no lar, no trabalho, mas raramente somos preparados para esse autocontrole. Não se trata do autocontrole artificial, fruto da repressão das emoções, mas daquela ação dirigida, consciente, que acolhe, aceita, porém, governa os estados emocionais, sabendo experimentar e utilizar a imensa energia psíquica que flui deles.

Assumir a cabine de comando, entender os componentes de nossa Aeronave, saber manusear seus recursos são pré-requisitos para uma viagem segura e agradável.

Entretanto, há algo mais... Quero falar sobre desempenho e compromisso! Essas são qualidades fundamentais de um bom Comandante (piloto em comando).

Sabemos que o desempenho pressupõe a ação, já que por definição desempenho é a medida da qualidade da ação. Um desempenho inadequado e/ou insuficiente impede o alcance do resultado almejado; um desempenho exagerado e excessivo desgasta o agente ao longo do tempo.

No entanto, não basta considerar apenas o desempenho. Ouvimos a todo momento que é preciso agir, que a ação determina os resultados, mas no íntimo sabemos que nem todas as ações são boas, úteis e verdadeiras: o equívoco, o erro, o desastre, o crime também são compostos de ações, ou melhor, más ações.

Se você pretende preservar, ao longo do processo, sua identidade, seus princípios éticos e seus valores mais caros, é preciso algo mais. É necessário compromisso. Compromisso com esses mesmos valores, propósitos, e identidade, e também com os princípios universais que regem as relações humanas.

O compromisso permanente com a EXCELÊNCIA envolve comprometimento com o belo, com o bom – para mim e para os outros –, com a ética, com os princípios e valores, além de compromisso constante com o aprimoramento. Todos esses comprometimentos devem ser permanentes, principalmente quando se atinge o sucesso.

Aliás, o aprimoramento e a perfectibilidade são traços da excelência.

Por outro lado, é preciso reconhecer que sabe mais quem mais executou. A excelência é filha da prática.

Na aviação, é importante dizer que a experiência do Comandante (piloto em comando) é medida no mercado por um fator decisivo: horas de voo. O número de vezes que um piloto decolou e pousou, em segurança e com vida; uma aeronave diz muito a respeito de sua experiência profissional.

Nesse sentido, é valiosa a contribuição de Malcolm Gladwell[10], quando expôs a "regra das 10 mil horas":

"A ideia de que a excelência em uma tarefa complexa requer um nível de prática mínimo está sempre ressurgindo em estudos de expertise. Na realidade, os pesquisadores chegaram ao que acreditam ser o número mágico para a verdadeira excelência: 10 mil horas. Essas pesquisas indicam que são necessárias 10 mil horas de prática para se atingir o grau de destreza pertinente a um *expert* de nível internacional – em qualquer atividade, como diz o neurologista Daniel Levitin".

Por fim, não podemos negligenciar a DIREÇÃO e o SENTIDO da ação. Não basta excelência, nossa ativida-

---

10 Gladwell, Malcolm. *Fora de Série – Outliers*. Rio de Janeiro: Sextante, 2008.

de deve refletir nossa identidade, nosso propósito, nossa missão e nossa visão, em curto, médio e longo prazo. Mas, isso já é assunto para os próximos capítulos. Por ora, acreditamos ter definido a contento as responsabilidades do Comandante (piloto em comando).

Como os poetas enxergam antes e bem mais longe, podemos repetir com Walt Whitman:

"Oh, Captain! My Captain! Our fearful trip is done (Oh, Comandante! Meu Comandante! Nossa temível viagem está feita)".

Sendo assim, podemos dizer: Tripulação! Preparar para a decolagem.

08

O mapa mental

A Lei da Mente é implacável. O que você pensa você cria; o que você sente você atrai; o que você acredita torna-se realidade.

(Buda)

Dissemos anteriormente que voar, migrar, ou simplesmente viajar são expressões sutilmente diferentes para uma única realidade subjacente – deslocar-se por um território. Sabemos que não existe viagem sem que haja um território sobre o qual alguém se desloca.

Aprendemos também que mapas, bússolas, GPS e outros artefatos de navegação são apenas uma maneira de descobrirmos, com certo grau de precisão, onde estamos e para onde vamos. Assim, compreendemos o valor das palavras-chaves: posição, direção e sentido.

Todavia, tudo isso depende de nosso sistema de coordenadas – o primeiro e principal modelo com o qual representamos o território. A palavra que merece destaque aqui é: Representação. Ela precisa ser melhor explicada.

Já ouvimos inúmeras vezes, e se tornou lugar-comum, a expressão "mapa não é território". É importante refletirmos com mais profundidade sobre esse assunto...

A física moderna nos ensina que toda a matéria bariônica, composta de prótons, nêutrons e elétrons, constitui apenas 4,9% do universo, ao passo que os restantes 95,1% são constituídos de matéria energia escura, um tipo de matéria-energia que não interage com a matéria comum, e interage muito pouco ou nada consigo mesma, ainda não pode ser detectada, mas somente estimada em termos matemáticos em função dos efeitos gravitacionais que produz.

Sabemos que nossas impressões sensoriais (visão, audição e outras informações somatossensoriais) são construídas com base na captação de reduzida faixa do espectro de irradiação eletromagnética. Por exemplo, enxergamos algo que varia do vermelho ao violeta, pois nos escapam as vibrações do infravermelho e do ultravioleta.

Por esta razão, a filosofia faz importante distinção conceitual: Realidade, Manifestação e Fenômeno. A Realidade representa os 100% da natureza, a totalidade de suas estruturas mais profundas e fundamentais. A Manifestação constitui a estrutura que se mostra, que se revela, como por exemplo as forças Forte, Fraca, Eletromagnética e Gravitacional, o Tecido do espaço-tempo; ao passo que o Fenômeno indica aquilo que nós, Seres Humanos, somos capazes de perceber em dado momento.

Em resumo, a nossa percepção (Fenômeno) representa minúscula fração daquilo que se manifestou (Manifestação), e a manifestação representa minúscula fração da Realidade. A título de exemplo: 95,1% da constituição do universo escapa à nossa percepção.

Desse modo, podemos concluir que o território é muito mais vasto do que somos capazes de imaginar. A nossa percepção é limitada, e ela distorce, amplia ou simplesmente apaga a maior parte dos dados que captamos.

Ainda assim, necessitamos organizar nossa limitada percepção, aprimorá-la, refletir sobre ela, enfim, construir nosso mapa. O alicerce, a base desse mapa repousa sobre o nosso Sistema de Coordenadas – o primeiro e principal modelo com o qual representamos o território.

As imagens abaixo ilustram alguns desses Sistemas de Coordenadas Geográficas, mas existem outros muito mais complexos envolvendo matemática avançada.

SISTEMA TRADICIONAL - ROSA DOS VENTOS

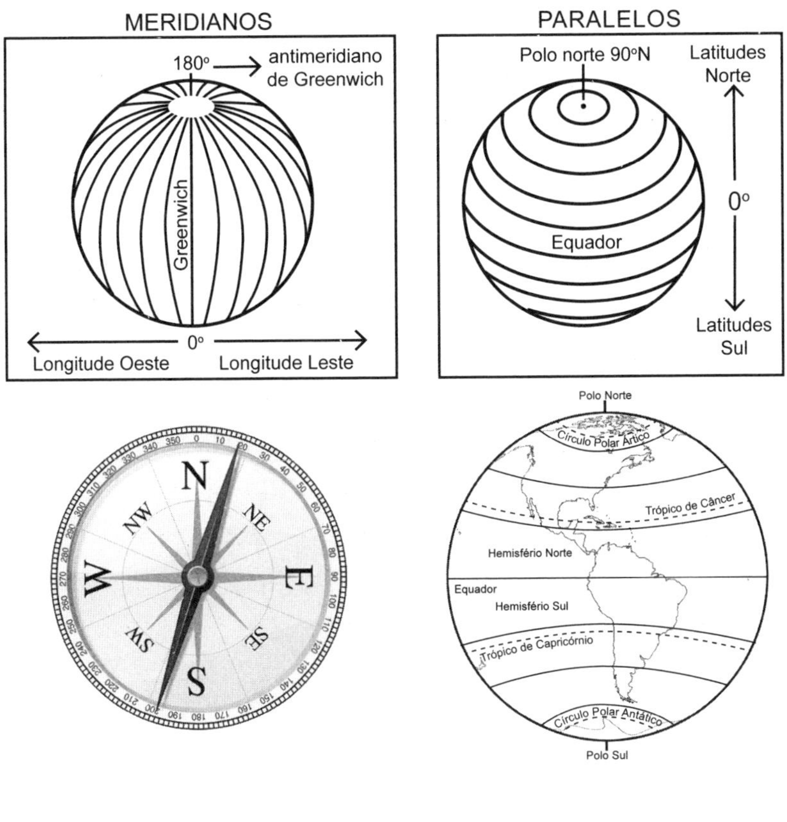

SISTEMA AVANÇADO

(a)

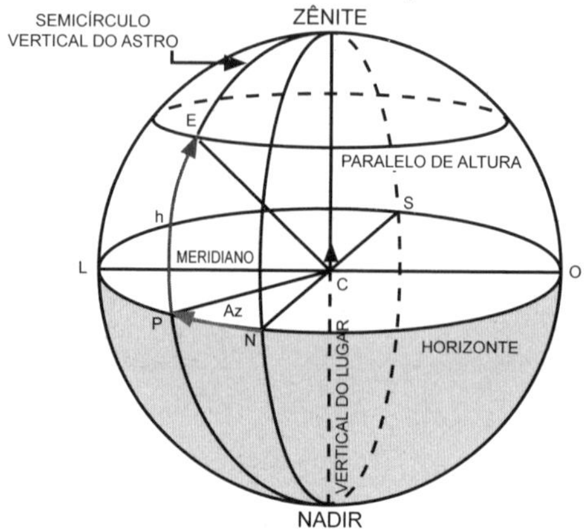

(b)

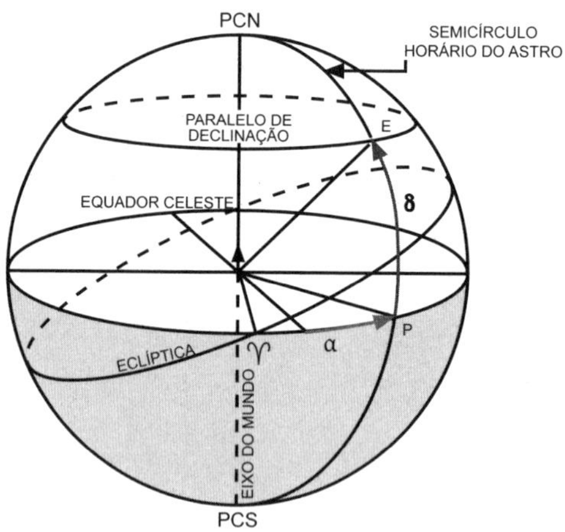

(c)

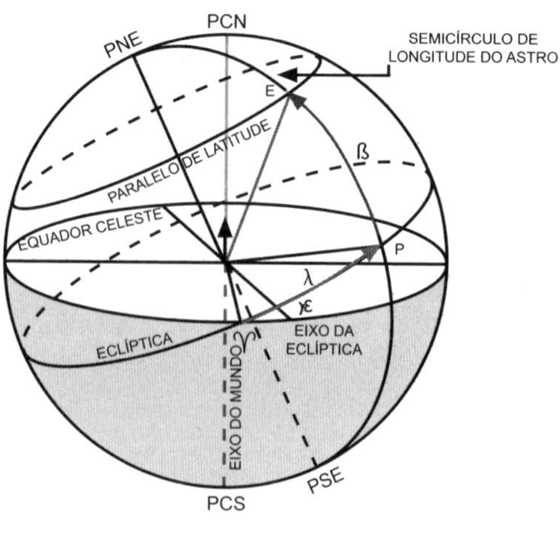

Por analogia, podemos postular que existe também um Sistema de Coordenadas para construção de mapas mentais. Antes, porém, de abordar especificamente esse Sistema é preciso entender uma questão primordial: Como produzimos SIGNIFICADO?

Na primeira parte do livro abordamos as forças motivacionais mais primordiais presentes em nós, bem como as motivações, necessidades, aspirações, desejos e valores do Ser Humano, e ainda refletimos sobre a estrutura e funcionamento de nossa mente.

Nesse capítulo, porém, nosso foco é naquilo que podemos chamar de "Engenharia da Produção de Significados". Nosso postulado é de que existe um conjunto de "Sistemas" em nossa mente, assim também um "processo de produção", cuja finalidade é dar significado às experiências.

Nessa abordagem, o principal elemento da "Engenharia da Produção de Significados" é nosso SCM (Sistema de Coordenadas da Mente), ou Sistema Global de Crenças, pois ele nos revela o alicerce sobre o qual repousa todo o edifício. Revela, igualmente, os aspectos mais desafiadores a serem enfrentados quando buscamos mudança, renovação, evolução.

Ao lado dele, há também outros seis Sistemas, conectados e interligados a ele.

Sistema de coordenadas da mente (SCM)

Ele equivale ao Sistema de Coordenadas Geográficas, utilizado para a construção de mapas geográficos. A diferença é que sua função está relacionada a outro tipo de mapa e a outro tipo de coordenadas.

O Sistema de Coordenadas de nossa Mente (SCM) representa a base sobre a qual construímos nossa cosmovisão, nossos paradigmas; equivale ao nosso sistema global de crenças. Ele afeta profundamente o modo que damos significado à vida, pois impacta diretamente na maneira que representamos o território.

Esse sistema é o responsável pelas respostas às perguntas relativas à nossa posição, direção e sentido: De onde eu venho? Onde estou atualmente? Aonde pretendo chegar? Qual é o percurso?

Em suma, o SCM (Sistema de Coordenadas da Mente) estabelece as bases de nosso mapa mental. Sabemos que a Realidade é muito mais ampla do que eu sou capaz de perceber, mas a minha percepção afeta decisivamente minha vida, minhas decisões.

A boa notícia é que essas coordenadas, construídas individual e socialmente, podem ser alteradas... e para melhor!

Vale destacar também que, tão importante quanto o que você faz, é o que deixa de fazer, pois isso revela seus princípios, valores e seu SCM (Sistema de Coordenadas da Mente), ou Sistema Global de Crenças.

As questões típicas suscitadas pelo nosso SCM (Sistema de Coordenadas da Mente) são: O que é a vida? O que é a morte? De onde viemos, e para onde vamos? O que são problemas? O que cria dor em minha vida?

Qual a função da dor? O que gera prazer e recompensa? Qual a minha visão sobre pessoas, família, tempo, dinheiro, riqueza, amor, relacionamento, emoções, corpo, sexualidade...?

Sistema da identidade (SI)

O segundo elemento, intrinsecamente ligado e articulado ao primeiro, pode ser chamado de SI (Sistema da Identidade), e ele diz respeito à imagem que construímos sobre nós mesmos, revela de qual perspectiva contamos nossa história, os papéis com os quais nos identificamos, as marcas gerais de nossa personalidade.

Carl Gustav Jung, ao propor sua teoria sobre arquétipos, esclareceu que existem modelos de personagens que concentram a imaginação, a emoção e a criatividade de toda a humanidade. São símbolos universais da psique que operam independentemente da cultura, etnia, religião, nacionalidade ou mesmo tempo histórico.

Para Jung, arquétipo é uma espécie de imagem primordial incrustada profundamente no inconsciente coletivo da humanidade, projetando-se ou refletindo-se nos mais diversos aspectos da vida e nas mais diversas manifestações da psique, tais como sonhos, mitos e até mesmo narrativas.

Estudar as tipologias propostas por esse eminente psiquiatra pode ser enriquecedor para entender como construímos nossa identidade.

As perguntas típicas desse Sistema são: Quem sou eu? Quem eu não sou? Quais pessoas são meus modelos? Quais não são? O que há em comum entre você e os modelos escolhidos? O que há de discrepante entre você e os modelos não escolhidos? Que características você rejeita naqueles que não são seus modelos? Qual é a história de sua vida? Na história de sua vida, como você se define?

Sistema do desejo central (SDC)

O terceiro elemento da "Engenharia da Produção de Significados" já foi abordado no capítulo cinco da primeira parte do Livro e pode ser chamado de SDC (Sistema do Desejo Central).

Vimos que NECESSIDADES e DESEJOS estão sempre conectados com as EMOÇÕES. Nesse sentido, quando examinamos uma emoção, é preciso perceber que por trás dela há certo desejo e certa necessidade correspondente.

Estudamos também as doze emoções primárias, correlacionando cada uma delas com o desejo e a necessidade correspondente. Ao final do Livro, convidamos o leitor a fazer o exercício de priorizar qual das doze se destaca em sua personalidade.

Esse trio Necessidade-Desejo-Emoção que se destacará em você corresponde à questão principal de sua vida, seu foco de desejo, ou melhor, seu Desejo Central. Todas as suas escolhas são de certo modo afetadas por ele. Essa é a força que guia sua vida.

Desse modo, o nosso SDC (Sistema do Desejo Central) afeta profundamente a maneira que elegemos prioridades, e, consequentemente o modo que damos significado às pessoas e aos acontecimentos que integram nossa vida.

Por exemplo, se o Desejo Central é a POSSE, a necessidade de aquisição e de conquista, seja em nível material ou não, está intrinsecamente entrelaçada com esse DESEJO, promovendo a emoção RAIVA toda vez que um obstáculo se coloca entre o indivíduo e a satisfação dessa necessidade.

Nesse caso específico, se a pessoa sente-se proprietária exclusiva dos bens que a cercam, sem maiores cogitações no campo espiritual da vida, sua existência será marcada pelo exclusivismo e pelo egoísmo, favorecendo os ESTADOS EMOCIONAIS de desespero, ciúme, despeito, intemperança, sovinice. Esses estados podem gerar depressão nervosa, desequilíbrio emotivo, úlceras, disfunção celular, entre outros resultados deploráveis.

É preciso salientar, porém, que o Desejo Central produz outros Desejos secundários, igualmente profundos e correlacionados com ele, formando um complexo de aspirações, anseios e expectativas. Por esta razão, denominamos de SDC (Sistema do Desejo Central), exatamente para deixar claro que são muitos os desejos entrelaçados. Contudo, é necessário reconhecer que um deles ocupa a posição central.

As perguntas desse Sistema são: Qual o foco de minha existência? Qual o propósito de minha vida? O que eu quero conquistar? O que move e faz vibrar meu coração? Que questões vêm à tona quando penso nesse meu propósito? Que desejos estão ligados, conectados e entrelaçados ao meu Desejo Central?

Sistema de contrapeso dos grandes medos (SCGM)

O quarto elemento da "Engenharia da Produção de Significados" pode ser chamado de SCGM (Sistema de Contrapesos dos Grandes Medos).

Toda vez que pensamos em nossos propósitos e desejos, acionamos inconscientemente nossos grandes medos. Algumas frases podem exemplificar essa situação: Quero isso, mas não sou capaz. Anseio me relacionar com alguém, mas temo não ser amado. Tenho medo de ser abandonado. Temo a solidão. Não quero envelhecer. Não acredito que esse problema tenha solução. Não quero morrer.

Desse modo, esse sistema atua em conjunto com o SDC (Sistema do Desejo Central). Eles formam um par e estão profundamente acoplados, formando um mecanismo autorregulador.

Nossos medos profundos se associam a outros medos menores e menos intensos gerando também um Sistema conjugado e entrelaçado. Esse conjunto de temores formam um contrapeso ao nosso SDC (Sistema do Desejo

Central), afetando profundamente a maneira pela qual nos relacionamos, o modo que interpretamos as situações e as pessoas, a maneira que reagimos aos desafios...

As questões pertinentes ao SCGM (Sistema de Contrapesos dos Grandes Medos) são: Qual é o seu maior medo? Como você lida com a morte e o envelhecimento? Como você lida com a solidão e o abandono? Como você enxerga seu corpo? Como você se sente em relação ao seu corpo? Como é sua autoestima? Você se sente amado? Como você enxerga seus talentos e habilidades?

Sistema de métricas (SM)

O quinto elemento da "Engenharia da Produção de Significados" pode ser denominado SM (Sistema de Métricas).

Quando afirmo que um copo está cheio ou vazio, que está calor ou frio, que está salgado ou sem sal, na verdade estou medindo... e para medir eu sempre aplico uma métrica, ou seja, um parâmetro que me permite mensurar.

Muitas vezes não percebemos que esses parâmetros ou métricas variam de pessoa para pessoa. Alguém que mora em uma região fria pode afirmar que uma temperatura em torno de 13 graus Celsius não justifica vestir um casaco. Por outro lado, para um indivíduo que reside em uma região marítima, essa temperatura é quase insuportável. Em nosso exemplo, a temperatura não variou... ela permaneceu constante. O que mudou foi a maneira que cada Ser Humano avaliou, mensurou, mediu essa mesma situação.

É preciso deixar claro que nosso SM (Sistema de Métricas) não depende apenas de nossas ideias, ele é construído ao longo do tempo e está intimamente ligado aos nossos hábitos e estilo de vida. Mudar nossa métrica exige, portanto, não somente mudança de mentalidade, mas sobretudo mudança de comportamento.

Se para se sentir amado você exige a presença de três elementos específicos: E + B + C, mesmo que uma pessoa manifeste quatro elementos: A + M + O + R, diferentes daqueles que você usa para medir o afeto, nada que ela fizer ou disser fará você se sentir amado.

A abundância pode se derramar em sua vida, mas se o seu SM (Sistema de Métricas) não reconhece ou não valoriza os elementos que chegam em seu caminho, você experimenta escassez em cada passo de sua existência.

Muitas vezes, a solução não está em mudar o cenário externo, ainda consiste em ajustar, calibrar e reprogramar seu SM (Sistema de Métricas) para aquela situação específica.

As questões relacionadas a esse Sistema devem ser feitas levando-se em conta uma situação específica: O que precisa acontecer para que eu me sinta...? Para que tal coisa seja satisfatória precisam estar presentes quais elementos? O que falta nessa situação para que eu a interprete como plena, abundante?

Sistema de veículo e instrumentos (SVI)

O sexto elemento da “Engenharia da Produção de Significados” pode ser denominado SVI (Sistema de Veículos ou Instrumentos).

Quando elaboramos um inventário de nosso Desejo Central e dos demais desejos a ele conectados, nos deparamos com um conjunto de necessidades, desejos e emoções. Esse aglomerado de forças psíquicas nos levam a buscar experiências, pessoas e situações que tornem possível a expressão e a concretização dessas energias em nossa vida particular.

Considerando a questão dessa perspectiva, podemos afirmar que o Ser Humano utiliza o dinheiro, a carreira profissional, o status social, o corpo físico, os relacionamentos, a religião como veículos capazes de proporcionar a realização de Necessidades-Desejos-Emoções. De modo idêntico, podemos utilizar os problemas, sofrimentos, a dor de instrumentos de concretização dessas mesmas Necessidades-Desejos-Emoções.

Em resumo, alguém pode utilizar a carreira profissional para obter Reconhecimento, satisfazendo sua necessidade de Relevância e concretizando seu desejo de Valorização. Outra pessoa, porém, pode utilizar a posição de vítima, o sofrimento e a dificuldade para obter os mesmos resultados, ou seja, alcançar o Reconhecimento dos outros.

Esses elementos – dinheiro, carreira, sofrimento, dificuldade – são veículos ou instrumentos de concretização desses elementos psíquicos, eles não são um fim em si mesmos.

Refletir sobre nosso SVI (Sistema de Veículos ou Instrumentos) nos ajuda a distinguir o que é finalidade e o que é meio, em nossa existência. Essa consciência nos torna menos dependentes dos meios e mais conectados às finalidades, ao propósito de nossa vida.

As questões relativas a esse Sistema são: Quais são os veículos que eu utilizo para satisfazer minhas necessidades? Esses veículos são insubstituíveis? Posso atender a essa ou àquela necessidade utilizando outro veículo ou instrumento? Meu foco está voltado para a necessidade ou para o veículo? Que veículos ou instrumentos são impostos pela sociedade em que eu vivo? Eu estou escolhendo meus veículos ou apenas seguindo o padrão da coletividade?

Sistema de crenças específicas (SCE)

O sétimo elemento da "Engenharia da Produção de Significados" pode ser denominado SCE (Sistema de Crenças Específicas).

Anteriormente, comentamos acerca de nosso Sistema Global de Crenças, que nos revela o alicerce sobre o qual repousa todo o edifício de nossa fábrica de produção de significados.

No entanto, no interior desse sistema global encontramos conjuntos distintos de crenças a respeito de questões muito particulares e específicas. Todos alimentam um conjunto determinado de crenças acerca de relacionamento amoroso, sexualidade, dinheiro...

Uma situação particular e específica pode despertar em nós um conjunto bem particular de crenças, como por exemplo: crenças sobre uma sociedade que acabo de firmar, crenças sobre um relacionamento que acabo de iniciar.

As questões pertinentes a esse Sistema são: Que tipo de expectativas e crenças essa situação específica desperta em mim? Que concepção eu tenho sobre esse fato, pessoa, circunstância ou acontecimento? Como eu enxergo determinada pessoa?

Conclusão

Todos esses Sistemas, atuando em conjunto e de forma coordenada, compõem nossa "Engenharia da Produção de Significados". O significado que damos à nossa vida comanda o modo que iremos viver, as ações que iremos adotar. Esses comportamentos terão capital influência nos resultados que iremos alcançar ao longo do tempo.

Sendo assim, não basta estimular alguém a migrar, a se deslocar, a traçar objetivos e a se movimentar. Antes de tudo isso, convém examinar nosso Mapa Mental, para identificarmos como estamos representando o território. É preciso descobrir como a nossa percepção apaga, distorce, restringe e amplia os fatos para que eles se encaixem em nossas crenças...

Em muitas ocasiões, a principal mudança a ser feita não é nos aspectos exteriores de nossa vida, que muitas vezes não podem ser alterados, mas em nossa mente, ou melhor, em nosso mapa mental.

O mapa comum nos diz onde estamos, de onde viemos e para onde vamos. O Mapa Mental também nos diz a mesma coisa, porém, em um nível muito mais sutil e profundo.

09

O plano de voo

Mude, mas comece devagar, porque
a direção é mais importante
que a velocidade
(Clarice Lispector)

O plano de voo representa um planejamento feito tanto pelo Comandante (piloto em comando) da Aeronave quanto pelo despachante operacional de voos (DOVs), no caso dos voos comerciais.

Esse planejamento leva em conta uma série de fatores: tipo de Aeronave, peso de decolagem e de pouso, aeroportos envolvidos (elevação, comprimento da pista, pavimentação), as condições climáticas do voo (ventos, chuvas, condições de gelo, trovoadas, ciclones, pressão atmosférica, temperatura), entre outros elementos.

O planejamento é apresentado a uma sala da AIS (Serviço de Informação Aeronáutica), pessoalmente, por telefone ou de modo eletrônico. Essa apresentação pode ser feita também a um Órgão ATS (Serviço de Tráfego Aéreo), que por sua vez encaminha ao DTCEA (Destacamento de Controle do Espaço Aéreo) – órgão responsável pelo controle do tráfego aéreo em todo o espaço aéreo sob a jurisdição do Estado Brasileiro.

Existem, basicamente, dois tipos de plano de voo (FPL): o plano de voo normal e o plano de voo repetitivo. O plano de voo normal é utilizado para voos esporádicos e específicos, ao passo que o plano de voo repetitivo é aquele utilizado por companhias aéreas para voos regulares.

Devem constar do plano de voo informações específicas, tais quais: identificação da Aeronave (prefixo ou número de voo), o tipo de voo, o tipo de Aeronave, o aeroporto de destino, a hora proposta da decolagem, a rota a ser percorrida, o aeroporto de saída, a subida a ser efetuada, as aerovias utilizadas, a velocidade pretendida, o tempo estimado de voo, a autonomia (quantidade de combustível medido em tempo de voo), aeroporto alternativo, a hora estimada de ingresso em determinado espaço aéreo, característica da Aeronave, nome e dados do Comandante, entre outros.

Percebemos que nenhum plano de voo é feito de improviso, de forma aleatória. Há inúmeros passos a serem seguidos, uma metodologia a ser obedecida e um sistema de checagem minucioso, para que a vida da tripulação e dos passageiros seja garantida. Não basta voar, é preciso decolar e pousar no destino em total segurança.

Quando estudamos a Andorinha-do-Ártico, também constatamos que há padrões migratórios que são passados de geração para geração. Assim, localização, intensidade e duração diária da luz solar, linhas magnéticas da magnetosfera terrestre, referenciais geográficos no solo, diferentes odores do ar, movimento das estrelas, incluindo a Lua, e aprendizado herdado são levados em conta no plano de voo dessa pequenina ave.

Aproveitando essa analogia, podemos afirmar que a vida humana é também uma jornada, ou melhor, uma "odisseia"[11], repleta de desafios, perigos, reviravoltas, altos e baixos, alegrias e tristezas, esperanças e decepções.

A vida pede um conjunto de estratégias para que a jornada seja bem sucedida. Naturalmente, isso exige planejamento detalhado, execução primorosa, além de boa dose de propósito.

---

11 *Odisseia* é um dos principais poemas épicos da Grécia Antiga, atribuído a Homero. É uma sequência da *Ilíada*, outra grandiosa obra creditada ao mesmo autor. O poema relata o regresso de Odisseu (Ulisses), herói da guerra de Troia e protagonista da obra. Aliás, a obra recebe o seu nome pois ele é "o herói de mil estratagemas que tanto vagueou, depois de ter destruído a cidade sagrada de Tróia, que viu cidades e conheceu costumes de muitos homens, padeceu mil tormentos no mar, enquanto lutava pela vida e pelo regresso dos seus companheiros à terra natal".

Na mitologia grega, Odisseu é um herói cheio de contradições e falhas de caráter. Seus méritos se confundem com suas virtudes. Mentira e arrogância são responsáveis por inúmeros desvios e atrasos em seu regresso. No entanto, sua jornada nos ensina até mesmo quando ele falha... A história é sempre uma mestra generosa para quem se abre ao aprendizado e à renovação.

Navegar é diferente de vagar, de estar à deriva. Ninguém deseja o naufrágio. É por esta razão que insistimos no planejamento. Nosso foco, nesse capítulo, é a navegação propriamente dita, ou melhor, o planejamento dela – o plano de voo.

Navegamos do berço ao túmulo imprimindo nossa marca pessoal à jornada. Podemos inspirar outros viajores, ou simplesmente servir de advertência com nosso naufrágio. Assim como a Andorinha-do-Ártico realiza trinta migrações ao longo de sua vida, o Ser Humano realiza também muitas migrações, inúmeras viagens, dentro de grande odisseia da sua própria existência, que é limitada no tempo e no espaço.

Alguns desses voos são repetitivos e demandam um plano de voo repetitivo. Outros, porém, são únicos e pedem um plano de voo feito sob medida. Mas, o que esses planos de voo têm em comum?

Um plano de voo capaz de atender aos épicos desafios de uma vida humana deve conter no mínimo esses elementos: Propósito – Recursos – Ação – Consolidação – Aprendizado.

Examinemos cada um desses elementos.

PROPÓSITO
A parte intangível dos nossos dons, porém a mais valiosa de todas

O que mudaria se você soubesse, além da data de seu nascimento, a data de sua morte?

Essa questão coloca em destaque: O valor do tempo.

A duração da vida humana é limitada, portanto, preciosa. E a única maneira de honrar essa dádiva, à altura do seu valor, é encontrar o propósito de nossa vida. Viver com Propósito é a maior expressão de gratidão que um Ser Humano pode atingir.

O que você escolheria fazer se tivesse certeza que não iria falhar? Essa questão coloca em relevo: O Poder Humano de concretizar Propósitos.

Tudo que já foi realizado nesse mundo começou um dia como propósito no coração de um Ser Humano.

A maioria das pessoas, porém, age como se o fracasso fosse inevitável. São movidas pela dúvida, pelo medo, pela insegurança. Enfrentam enorme dificuldade para encontrar seu propósito de vida, porque sempre imaginam que podem substituí-lo, se tudo der errado.

Todavia, o verdadeiro propósito nasce conosco, faz parte de nós... ele é inegociável, intransferível. Ele espera por nós, tanto quanto nós esperamos por ele. Na vida, nunca nos sentiremos verdadeiramente realizados, plenos, satisfeitos a não ser quando formos capazes de concretizar o propósito de nossa existência.

Quando o fracasso não for uma opção... quando a fé for maior que o medo... quando a realização, a concretização for uma certeza... então, estaremos diante do PROPÓSITO.

Essas duas questões devem servir de baliza para iniciarmos o processo de definição do propósito. Sem elas é possível que a superficialidade tome conta de nós e nos conduza a objetivos artificiais, construídos com base em expectativas sociais, distantes de nossa verdadeira essência.

O processo de definição do propósito passa por algumas etapas: Identidade, Valores, Missão, Metas e Significado.

Ao longo deste Livro, falamos exaustivamente sobre IDENTIDADE. Várias ferramentas foram oferecidas para auxiliar o leitor a descobrir sua verdadeira essência. Podemos resumir essas reflexões no seguinte axioma: a definição de sua identidade é uma espécie de fronteira para a sua ação.

Raramente, um Ser Humano age fora dos limites que ele próprio definiu como sua identidade. Nós fazemos aquilo que acreditamos ser. Ninguém faz o que acredita não ser.

O problema é que muitas vezes definimos nossa identidade de maneira limitada, restritiva, seguindo expectativas de terceiros, sem fidelidade à nossa essência, sem considerar nossa tipologia, sem atender ao nosso Desejo Central. Muitos de nós vivem em meio à culpa, ao medo, à insegurança, e acaba por sepultar seus dons, seus potenciais, seu propósito.

Outro elemento fundamental nessa definição são nossos VALORES que são o alicerce de nossa identidade. Sem eles tudo parece desmoronar... Estratégias podem e devem mudar, valores precisam ser mantidos, protegidos e estimulados.

Muitas pessoas possuem propósitos lindos, mas constroem sobre a areia. Outras, conscientes de seus valores, escolhem acertadamente edificar sobre a rocha dos valores e resistem às crises, às tempestades e dificuldades em razão da integridade de suas vidas.

O terceiro elemento do processo de definição do propósito é nossa MISSÃO que representa a definição do propósito no tempo e no espaço em que vivemos. Se você estivesse vivendo há mil anos, seu propósito poderia ser o mesmo, mas sua missão teria de ser adaptada àquele tempo, àquelas condições.

Definir nossa missão é encontrar uma maneira concreta de realizar nosso propósito na época em que vivemos, no horizonte histórico de nossa existência, sem desperdiçar oportunidades, mas também sem fantasiar expectativas.

Por outro lado, a realização de qualquer missão demanda o estabelecimento de METAS. Definir metas é o mesmo que distribuir nossa missão em um período de tempo previamente estipulado.

Ter clareza sobre os passos necessários para concluir a jornada, saber exatamente quais as etapas da concretização de um projeto e as ferramentas a serem utilizadas são pressupostos do sucesso. Ninguém atinge aquilo que não vê. Definir metas é visualizar o desdobramento da missão passo a passo.

Por fim, é necessário construir SIGNIFICADO. Quando sabemos exatamente quem somos; quando estabelecemos claramente nossos valores; quando definimos nossa missão e a desdobramos em metas específicas, estamos em condições de dar significado a cada etapa da jornada.

Muitos cometem o erro de dar significado somente à linha de chegada, ao pódio, ao troféu... raramente celebram o percurso... executam mecanicamente os passos intermediários como se apenas a chegada tivesse valor.

No entanto, se você realmente encontrou o propósito de sua vida, cada passo da jornada possui um sabor indescritível e deve ser celebrado intensamente. É muito lógico esse raciocínio, pois cada etapa percorrida nos coloca cada vez mais próximos de nosso objetivo. É estranho não comemorar isso...

Para aperfeiçoar algo, antes de mais nada, é preciso ter feito. Somente aprimora quem já realizou. Assim, o segredo da excelência está em dar significado a cada elemento, a cada etapa do processo.

RECURSOS
As fontes de nossa sustentabilidade

Uma vez concluída a etapa de definição do propósito com seus elementos constituintes, surge a necessidade de examinar os recursos que serão utilizados em sua concretização.

A sustentabilidade de nosso propósito repousa na gestão eficaz dos recursos. No entanto, costumamos valorizar apenas os recursos tangíveis ou materiais, esquecendo-nos daquelas fontes sutis da verdadeira prosperidade.

Não se constrói prosperidade legítima apenas com recursos palpáveis. Essa prosperidade verdadeira exige outros recursos imponderáveis, mas igualmente poderosos, além dos bens materiais.

Uma lista de recursos imprescindíveis, por ordem de prioridade, deve conter no mínimo esses elementos: Tempo, Talentos, Habilidades, Recursos Humanos, Valor e Recursos Materiais.

Não importa quantos dígitos alguém possua em sua conta bancária, o Tempo é sempre o seu recurso mais precioso. Não importa o quão alto ela tenha subido, o quanto se tenha conquistado, chega sempre o momento em que fará de tudo para obter simplesmente um pouco mais de tempo.

No segundo capítulo do Livro, abordamos o fator idade e a tabela dos ciclos da vida humana com a intenção de demonstrar a dimensão dessa riqueza. Riqueza – o tempo – que todos recebemos pelo simples fato de nascer, embora em caráter limitado.

Estabelecer propósito, missão e metas que não estejam à altura do valor de nosso tempo é desperdiçar a própria vida. Em resumo, o tempo é o único recurso que não pagamos nada para receber, veio como dádiva. Todavia, ele cobra um alto preço para ser usado, e podemos nos arrepender profundamente por tê-lo jogado fora.

Cada Ser Humano possui uma configuração psíquica única que o torna apto a realizar melhor determinados empreendimentos.

Esses dons inatos são seus Talentos. Infelizmente, porém, muitos de nós gasta enorme energia se comparando aos outros, ou tentando ser como eles, ao invés de desenvolver, aprimorar e utilizar seus próprios dons.

Poderíamos gravar no túmulo de muitas pessoas a seguinte inscrição: "Utilizou todos os recursos da Terra, menos seus Talentos". Esse é um dos maiores desperdícios do Ser Humano, juntamente com o desperdício do tempo.

Outro grupo de recursos valiosos são nossas Habilidades. Filhas de nossos talentos, elas se desenvolvem com a prática, com o trabalho árduo, com as dez mil horas de Malcolm Gladwell.

Nem sempre o mais talentoso é o mais hábil. A habilidade pede suor, disciplina, dedicação, comprometimento e seriedade. Toda habilidade é mantida com a força do hábito, motivo pelo qual deve ser reforçada e aprimorada constantemente.

Quando alguém atinge a excelência na expressão de suas habilidades, uma força poderosa e contagiante passa a emanar dela, uma espécie de autoridade interior que se irradia no ambiente onde atua.

Em nosso inventário dos recursos mais valiosos não poderia ficar de fora os Seres Humanos. Eles criam, projetam, executam, encantam, fazem acontecer...

No entanto, muitas empresas, organizações e instituições são incapazes de perceber o valor de seus Recursos

Humanos. Esquecem que na essência de qualquer produto ou serviço há sempre as digitais de alguém. E essas marcas ficam... elas impressionam as outras pessoas. Em síntese, pessoas afetam pessoas, e essas interações constroem memórias. Talvez, essa seja uma boa definição de marca.

Por outro lado, todo empreendimento deve levar em conta a "rede de relacionamentos". Nada se realiza sem um conjunto de relações humanas alinhadas por um propósito comum, temporário ou perene. Essa é a parte dos Recursos Humanos mais negligenciada nos projetos individuais, sociais, empresariais, políticos...

O sucesso de uma empreitada depende enormemente da rede de relacionamentos construída com integridade, honestidade, reciprocidade e generosidade.

Outro recurso fundamental de sucesso e de excelência se chama: Valor.

Os Seres Humanos produzem coisas e proporcionam experiências, sejam elas tangíveis ou intangíveis. Quando produzimos algo ou proporcionamos uma experiência diferenciada, única, exclusiva, intensa, repleta de nossa identidade, de nosso afeto, de nossa dedicação, e de nosso amor, então isso significa que fomos capazes de agregar Valor.

O Valor que agregamos carrega a nossa história, a nossa paixão, o nosso comprometimento e principalmente o nosso respeito, a nossa consideração ao outro.

Essa exclusividade e primor são tão valiosos que damos o nome de Valor.

Por fim, precisamos mencionar os Recursos Materiais como elementos igualmente importantes na realização e concretização de qualquer propósito.

Vivemos em um tempo em que a preocupação com o meio ambiente e com a sustentabilidade se transformaram em dever, se quisermos que as futuras gerações possam usufruir um pouco do planeta Terra.

O uso responsável dos bens materiais deveria ser disciplina obrigatória em todos os currículos escolares e acadêmicos. Basta lembrar que não haveria fome no mundo, se fôssemos capazes de recolher tudo o que é desperdiçado para entregar aos necessitados.

Nunca a humanidade foi tão eficiente na produção de alimentos e outros bens, porém, nunca houve tamanho desperdício. E pior... muitas vezes desperdiçar é sinal de status.

O respeito aos Recursos Materiais revela também a grandeza de nossos propósitos. Sobriedade, economia, aproveitamento de sobras, reciclagem, respeito ao meio ambiente são os fundamentos daqueles que almejam o sucesso permanente e em longo prazo.

Esses elementos aqui listados distinguem as pessoas que constroem castelos de areia, brilhantes e passageiros, daquelas que erguem fortalezas capazes de atravessar muitas gerações.

AÇÃO
A força que transforma a vida

A força transformadora da vida reside no interior da Ação. Assim, vale a pena repetir a lição: Obtemos resultados quando fazemos a coisa certa no momento certo. Ninguém planta no inverno, ninguém colhe na estação chuvosa.

No entanto, estamos em busca da Ação Correta, não de qualquer ação. Em muitas ocasiões, a ação mais adequada é permanecer imóvel, aguardar... Os investidores do mercado de ações sabem do que estamos falando.

A Ação Correta deve exibir no mínimo os seguintes elementos: Estratégia, Ritmo, Consistência, Precisão, Economia e Integridade.

Quando mencionamos a palavra Estratégia, queremos exprimir o planejamento eficiente e eficaz que nos conduz na direção do propósito. O plano pode ser belo, engenhoso, mas se não nos leva no rumo de nosso propósito, pode representar uma perigosa distração.

Os estrategistas militares falam de "aproximações sucessivas" para se referirem a um conjunto de estratégias que nos colocam cada vez mais próximos do objetivo. Esse deve ser o critério de ouro para avaliarmos a qualidade de um planejamento.

Outra qualidade fundamental da Ação Correta é o Ritmo. Nem sempre a velocidade e a intensidade representam as melhores estratégias. Contudo, manter o ritmo é sempre recomendável.

Devemos sempre nos perguntar: Por quanto tempo consigo manter essa velocidade e essa intensidade? Esse ritmo é saudável ou traduz desespero, pressa, desídia, imprudência? Como eu quero estar quando o objetivo for atingido, inteiro ou destroçado?

A Consistência nos remete aos hábitos, aos comportamentos repetitivos. Basta lembrar que um filme é composto de imenso conjunto de imagens que se sucedem ininterruptamente, gerando a sensação de continuidade. Quando somos consistentes passamos a imagem de estabilidade, fluidez, confiabilidade.

Além disso, é sempre bom lembrar que o vento e a água corroem uma montanha depois de um longo período de ações consistentes sobre ela.

Não poderíamos deixar de mencionar a Precisão. Para atingir qualquer objetivo, contam apenas as ações necessárias, nem mais nem menos. Contam apenas as ações certas, nem mais nem menos.

Precisão é o que distingue o *expert* do amador. Por esta razão, uma pessoa procura um especialista quando sua vida está em risco. Quanto maior o grau de precisão de nossa ação, maior será nossa eficiência – uso adequado dos meios – e maior será a nossa eficácia – alcance dos fins –, nem mais nem menos.

Economia diz respeito a dispêndio, a gasto. Ao longo da execução de uma estratégia, com a finalidade de atingirmos um propósito, gastamos recursos, energia, gastamos nossa própria vida.

Sendo assim, é bom seguirmos a antiga recomendação:

O mínimo de esforço para o máximo de resultado. Isso confere sustentabilidade de longo prazo para nossa estratégia e para nossa ação.

A Integridade diz respeito aos nossos valores, princípios, nossa ética, nossa moral. Da mesma maneira que a Natureza seleciona os organismos biológicos mais aptos para sobreviverem e se reproduzirem, ela também seleciona os mais íntegros para permanecerem de pé.

Honestidade, honradez, ética, moral, transparência constituem a couraça, a armadura, a proteção de nosso empreendimento, bem como a fortaleza de nossa ação, em longo prazo.

CONSOLIDAÇÃO
O legado de nossa passagem pelo mundo

Uma multidão de pessoas empreendem, realizam, atingem seus objetivos... mas poucas consolidam seus empreendimentos e raríssimas permanecem para contar a história aos seus netos.

O meu propósito pode ser valioso para mim. Todavia, ele terá valor para a sociedade somente se for capaz de deixar um legado, um roteiro a ser seguido.

A Consolidação possui os seguintes elementos: Experiência Proporcionada, Previdência, Providência e o Impacto. Em conjunto, esses fatores compõem o legado.

Para alcançar nosso propósito e manter os resultados dessa conquista ao longo do tempo é necessário compreender que estamos sempre proporcionando uma experiência, aos outros e a nós mesmos.

Seja no campo dos relacionamentos interpessoais, seja no campo profissional, seja no produto ou serviço de nossa empresa, o que na verdade proporcionamos é uma experiência de cunho emocional. Estudamos esse aspecto no capítulo cinco, quando abordamos a temática das emoções.

Assim, a qualidade da Experiência Proporcionada é o primeiro ingrediente do Legado. Para proporcionar uma experiência fascinante não basta fazer coisas ou entregar bens, é preciso cercar nossa atividade e nossa entrega de um conjunto de elementos imponderáveis que sejam percebidos emocionalmente como cuidado, respeito, beleza, exclusividade, apuro, precisão, prazer.

Outro elemento fundamental da Consolidação é a Previdência. Antecipar, planejar e se preparar para as crises é o segredo da permanência e da manutenção do sucesso.

Não somos capazes de controlar todas as variáveis de nossa ação e de nosso resultado, pois há elementos que estão fora de nossa esfera de influência. Todavia, é possível ser previdente, estudando, catalogando, antecipando e se preparando para o pior.

A Providência é outro ingrediente importante do Legado. Muitas pessoas vivem e se comportam feito predadores. Podem até realizar grandes feitos, mas acabam destruindo recursos, relacionamentos e o meio ambiente.

Essa maneira de viver lembra a fábula da galinha dos ovos de ouro, que acaba sendo devorada pela ganância do próprio dono. Cuidar das relações, da comunidade aonde atuamos, do meio ambiente, dos recursos; prover nosso empreendimento, nossos parceiros e colaboradores afeta profundamente a sustentabilidade de nossos resultados.

O Impacto deve ser visto como o elemento inovador de nosso propósito e de nossa ação.

Somente aqueles que buscam a excelência conseguem impactar sua geração, através do alto grau de comprometimento e desempenho que atingem na concretização do propósito.

O resultado diferenciado, exclusivo, pessoal e autêntico é capaz de impactar outros Seres Humanos, pois todas as pessoas valorizam a dedicação e a competência. Todos estamos em busca de inspiração.

A concretização de nosso propósito, fruto de alto nível de entrega pessoal, é capaz de inspirar, conquistar admiração, impactar e consolidar nosso nome e nossa marca. Isso se aplica a um campo imenso, desde os relacionamentos afetivos até às atividades de uma empresa.

APRENDIZADO
A parte espiritual da recompensa

A recompensa espiritual de concretizar um propósito é o aprendizado obtido ao longo do processo. Esse bem intangível as traças não corroem e os ladrões não minam nem roubam.

O aprendizado se compõem, no mínimo, dos seguintes ingredientes: Transformação, Evolução/Aprimoramento e Espiritualidade.

As pessoas que atingiram elevados padrões de excelência e resultado são unânimes em afirmar que, se algum revés da vida tirar tudo que conquistaram, ainda assim elas são capazes de reconstruir do zero.

Isso se deve ao fato de que, uma vez concretizado o propósito e conservado os seus resultados, a experiência se converte em aprendizado para aquele que empreendeu, que realizou, que concretizou.

O aprendizado é a parte espiritual, imponderável, pessoal e intransferível da recompensa.

O primeiro elemento desse processo é a Transformação. Ao longo da jornada em direção ao nosso propósito, experimentamos sucessivas transformações que paulatinamente nos tornam mais fortes, mais experientes, mais sábios, mais preparados para os resultados que virão.

Essas transformações são naturais e necessárias, e devem ser encaradas como parte inegociável do processo. Ninguém atinge e/ou concretiza seu propósito permanecendo a mesma pessoa.

Outro elemento muito importante é Evolução/Aprimoramento. Toda atividade humana se processa seguindo um ciclo evolutivo de aprimoramento. Compreender e colaborar com esse ciclo garante a permanente atualização e excelência de nossa ação.

Muitas vezes, alimentamos expectativas irreais por não compreendermos o ciclo de evolução inerente a todo processo de realização. Cada vez que executamos nos tornamos mais experientes e refinados em nossa ação estratégica.

Por outro lado, é preciso aproveitar as lições do ciclo anterior sob pena de estagnação e desatualização, comodismo e cristalização. A busca pela excelência deve constituir um valor a ser estimulado e preservado.

Por fim, a conclusão de um ciclo de aprendizado e de um plano de voo resulta em Espiritualidade. Essa palavra está desgastada atualmente, em função do misticismo barato, da irracionalidade, do fanatismo e dos extremismos que assolam o mundo.

No entanto, a superação de nossos limites e a concretização de nosso propósito desperta o anseio de contribuir, auxiliar para o crescimento de outros Seres Humanos. Uma vez atendidas nossas necessidades, uma vez atingidos os resultados planejados, temos um profundo desejo de transformar o mundo, tornando-o um pouco melhor do que encontramos. É uma forma de retribuir as dádivas recebidas.

A definição do plano de voo exige que o Comandante (Piloto em comando) responda basicamente a três perguntas: Quais as coordenadas geográficas de minha posição atual? Quais as coordenadas geográficas da posição de destino? Qual a rota?

Uma vez respondidas essas questões, ele posiciona a proa da Aeronave, a parte dianteira do avião, no rumo de seu destino, e navega em direção ao seu propósito. Nem sempre a rota será uma linha reta, o que irá exigir constante monitoramento da direção a ser tomada.

Esse ajuste fino e permanente da direção do voo, na linguagem corriqueira da aviação, possui uma expressão peculiar: "Tomar a Proa". Essa expressão nos lembra que o destino final, o propósito estão sempre na mira do Comandante (Piloto em comando).

Espero que, nesse ponto da leitura do Livro, você saiba com mais precisão quem é você, onde você está e para onde quer ir. Se você souber responder a essas perguntas, chegou a hora de falar das ROTAS.

10

Aerovias (estradas aéreas)

Minha dor é perceber que apesar de termos feito tudo, tudo que fizemos, ainda somos os mesmos e vivemos como nossos pais
(Belchior)

Quem olha para o céu não suspeita da imensidade de aviões que cruzam o espaço aéreo a cada minuto. Em razão dessa enorme quantidade de voos, raramente eles percorrem uma linha reta do seu ponto de origem ao destino final.

Na verdade, as Aeronaves sobrevoam o céu em rodovias virtuais que se entrelaçam num complexo de teias hermeticamente coordenadas, por onde cruzam itinerários aéreos extremamente precisos. Enfim, elas percorrem traçados difusos no espaço, os quais são chamados de Aerovias. Podemos dizer que Aerovias são rotas aéreas, preestabelecidas, que interligam certas posições geográficas de um mapa. Por se tratar de um volume devidamente delimitado do espaço aéreo, é melhor representá-las como tubos virtuais, dentro dos quais navegam milhares de Aeronaves.

boscorelli | Shutterstock

Esses tubos possuem diferentes altitudes, larguras e direções, e são empilhados verticalmente. O que separa um tubo do outro é sua altitude, medida em relação ao solo, na unidade denominada pés. As Aerovias estão divididas em dois grupos: Aerovias Superiores (altitude superior a 7.468 metros) e Aerovias Inferiores (altitude inferior a 7.468 metros). Elas também são classificadas de acordo com o rumo magnético a ser voado.

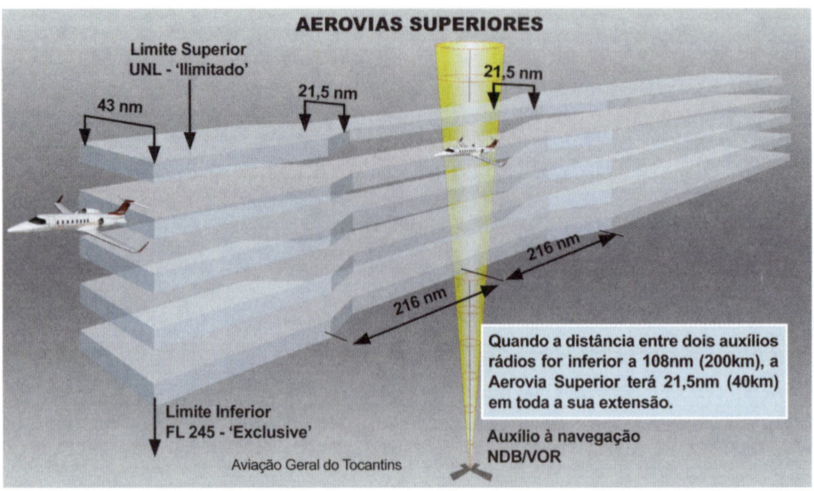

Aeronaves que tomam os rumos situados na faixa de 000° a 179° voam em níveis ÍMPARES. As que tomam os rumos situados na faixa de 180° a 359° voam em níveis PARES. Essa variação de níveis nas Aerovias impede o choque de aeronaves que voam em rumos convergentes.

A tabela abaixo apresenta essa divisão de níveis:

RUMO MAGNÉTICO

DE 000° A 179°			DE 180° A 359°		
FL	VOOS IFR – ALTITUDE		FL	VOOS IFR – ALTITUDE	
	metros	pés		metros	pés
30	900	3000	20	600	2000
50	1500	5000	40	1200	4000
70	2150	7000	60	1850	6000
90	2750	9000	80	2450	8000
110	3350	11000	100	3050	10000
130	3950	13000	120	3650	12000
150	4550	15000	140	4250	14000
170	5200	17000	160	4900	16000
190	5800	19000	180	5500	18000
210	6400	21000	200	6100	20000
230	7000	23000	220	6700	22000
250	7600	25000	240	7300	24000
270	8250	27000	260	7900	26000
290	8850	29000	280	8550	28000
330	10050	33000	310	9450	31000
370	11300	37000	350	10650	35000
410	12500	41000	390	11900	39000
450	13700	45000	430	13100	43000
490	14950	49000	470	14350	47000
etc.	etc.	etc.	510	15550	51000
			etc.	etc.	etc.

A título de exemplo: O eixo da aerovia principal que liga São Paulo a Belo Horizonte tem como rumo magnético o ângulo 053° (53 graus), tomando por referência o rumo Norte (000° a 360°). Dessa forma, nessa rota, no sentido SP-BH, o nível a ser voado deve ser ímpar.

Podemos observar na imagem abaixo as diversas Aerovias superiores. Nela constam os rumos a serem voados, seus vários *waypoints*, divisões de espaço aéreo, além de outras informações. Esses elementos integram uma Carta de Rota.

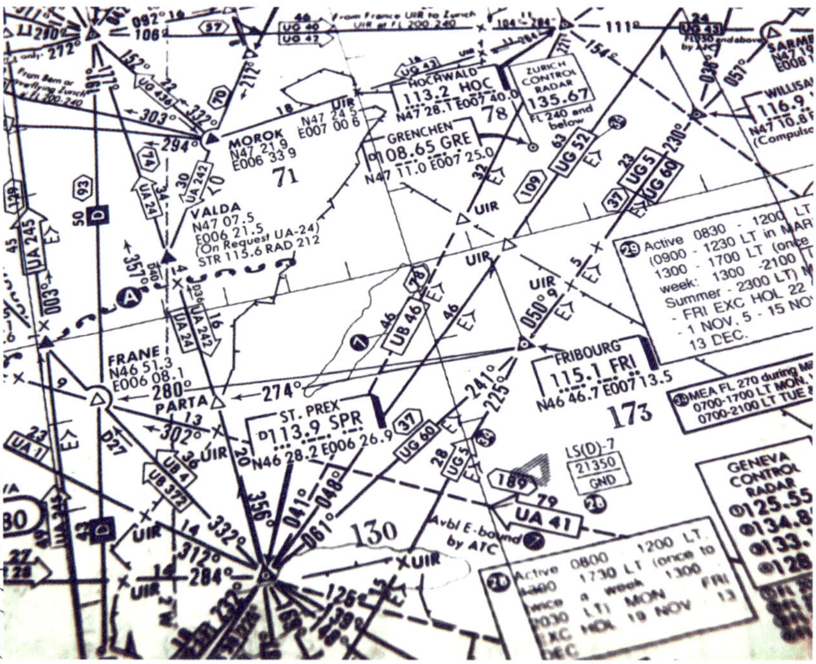

Johnny Lye | Shutterstock

Por meio dessas Cartas, são elaborados os planos de voo, com a definição das aerovias a serem usadas no trajeto, do ponto de origem até o destino final. Naturalmente, deseja-se escolher o trajeto mais curto, porém, nem sempre isso é possível. O espaço aéreo pode estar fechado, em razão de conflitos ou por deliberação daquele país; as condições climáticas podem impedir determinado trajeto; os ventos favoráveis ou desfavoráveis podem determinar trajetos mais longos ou mais curtos, entre outras questões.

No capítulo anterior, utilizamos a metáfora do plano de voo para simbolizar o indispensável planejamento que todo Ser Humano deveria fazer, de modo a viver com mais proveito e integridade.

A expressão "Tomar a Proa" foi utilizada para nos lembrar de que o destino final, o propósito, sempre devem estar na mira do Comandante (Piloto em comando). Todavia, é preciso dizer que não se pode escolher qualquer Rota.

O sistema de Aerovias nos revela a existência de rotas preestabelecidas. Esses trajetos representam a síntese do aprendizado dos aviadores ao longo de muitos anos. Em função de sua intensa utilização por milhares de Aeronaves, elas se impõem feito percursos otimizados, fixados após vasto acúmulo de experiências positivas e negativas.

Expandindo a nossa analogia, não seria interessante pensar que a vida humana também possui suas Aerovias, percursos otimizados, estabelecidos com base nos trajetos escolhidos pelos Seres Humanos com a finalidade de concretizarem seus propósitos?

Em verdade, esses caminhos otimizados existem e representam os melhores percursos escolhidos por pessoas extraordinárias que nos deixaram um legado inspirador. Do mesmo modo, há também aquelas vias estabelecidas com base em hábitos pessoais, familiares, sociais… alguns deles extremamente prejudiciais.

Aerovias psíquicas

Nos capítulos anteriores abordamos várias questões referentes ao Mapa Mental, ao Plano de Voo, além de termos examinado um conjunto de ferramentas para o autoconhecimento.

Todavia, com as contribuições da psicologia sistêmica, desde Virgínia Satir a Berth Hellinger, aprendemos que a herança psíquica atua tão fortemente nos Seres Humanos quanto a herança biológica.

Nossos pais, avós, bisavós, bem como nossos irmãos e irmãs, tios e tias, primos e primas, enfim nossa constelação familiar, representam nosso núcleo de pertencimento e crescimento psíquico e espiritual, razão pela qual nos moldam e sustentam de modo muito mais intenso do que estamos dispostos a admitir.

Eles também tiveram suas histórias, fizeram suas escolhas, suportaram seus fardos, assumiram seus destinos. Quer tenham tido consciência ou não, possuíam um Mapa Mental e um Plano de Voo.

A vida de cada um deles pode ser simbolizada por uma espécie de Aerovia psíquica, que funciona tal qual um roteiro para nós, mesmo que ainda tenham cometido enormes equívocos.

A primeira lição a ser aprendida é: NÃO JULGUE. Fazer comparações, ter piedade, criticar, estabelecer padrões moralistas são expressões de julgamento. A atitude saudável, nesse caso, é simplesmente acolher, respeitar e alimentar nossa compaixão. A expressão "com o juízo com que julgais sereis julgados, e com a medida com que medis sereis medidos (Mt. 7:1-2)" podemos aplicar perfeitamente a uma espécie de adoecimento da alma, em que o indivíduo julga todos os seus ancestrais, especialmente seus genitores e acaba esvaziando seu espírito da força que promana deles, tornando-se uma pessoa extremamente exigente, árida e incapaz de se aceitar e ser feliz.

A segunda lição é: PERTENCIMENTO. Ainda que não tenhamos consciência disso, todos nós trazemos profundo desejo de pertencer ao nosso núcleo sistêmico, à nossa constelação familiar. Esse impulso profundo para pertencer nos leva até mesmo a repetir padrões destrutivos e repetitivos que foram adotados por nossos pais e familiares. Frequentemente, nos tornamos semelhantes aos familiares que mais criticamos e censuramos, exatamente para pertencermos ao núcleo familiar. É uma espécie de solidariedade mórbida ou amor adoecido que precisa e pode ser curado.

A terceira lição é: AUTONOMIA. A repetição não pode ser a única maneira de amar e honrar nossos ancestrais. Podemos e devemos honrar nossos pais e familiares, mas isso não significa que estamos fadados a repetir suas histórias para demonstrar o amor que temos por eles. A maior demonstração de amor e respeito que podemos oferecer ao nosso núcleo familiar é assumir nossa singularidade e vivermos de modo pleno, ainda que tenhamos de percorrer outras Aerovias.

A quarta lição é: PRUDÊNCIA. Ser autônomo, honrar nossos pais e acolher nossos familiares inclui nos beneficiar dos tesouros que eles nos legaram. Ninguém precisa reinventar a roda. Há muita sabedoria disponível para nós em nossa constelação familiar. A vida de todos eles deve se tornar o nosso livro de sabedoria, pois mesmo cometendo erros eles nos inspiram e nos ensinam o que fazer e o que não fazer. Não é prudente começar do zero, ou reinventar a roda...

Nosso sistema familiar é nossa origem, nossa fonte, nossa força primordial. Nós nos tornamos muito poderosos quando nos conectamos a ele e muito sábios quando voltamos às nossas origens.

Altitude do voo

O padre e filósofo Teilhard de Chardin afirmou: "A evolução se desenrola na direção de uma crescente complexidade, que é acompanhada por uma correspondente elevação do nível de consciência".

Podemos exprimir essa realidade utilizando a metáfora da aviação, dizendo que cada Aeronave escolhe uma altitude para realizar seu voo, da mesma maneira que cada Ser Humano realiza o trajeto de sua vida em um determinado nível de consciência.

No entanto, podemos expressar essa mesma realidade afirmando que possuímos uma herança humana ancestral, na qual o progresso da humanidade, como um todo, engendra "camadas geológicas" de natureza psíquica, que exercem profundo papel em nosso desenvolvimento individual.

Podemos nomear essa herança de "Inconsciente Coletivo", como o fez Carl Gustav Jung, ou pensar nesse legado como aerovias da história humana... caminhos percorridos por gerações anteriores que permanecem disponíveis para a geração atual.

Clare Graves, Professor de Psicologia do Union College em Nova York, elaborou uma Teoria sobre os níveis de maturidade psicológica dos Seres Humanos, descrevendo essa dinâmica da consciência em oito níveis, seguindo o processo evolutivo da própria humanidade.

Esse trabalho recebeu o nome de "Teoria da Emergência Cíclica dos Níveis de Existência Biopsicossocial". O próprio autor a descreve: "Em resumo, proponho que a psicologia do ser humano maduro seja um processo emergente e oscilante que se desenvolve em forma de espiral e que se caracteriza, à medida que se modificam os problemas existenciais do ser humano, pela subordinação progressiva dos sistemas de comportamento antigos aos novos sistemas, mais complexos".

Mais tarde, os professores Edward Beck e Christopher C. Cowan conheceram Graves e iniciaram um trabalho conjunto que resultou na publicação do livro *Spiral Dynamics – A Dinâmica Espiral*, no qual a Teoria foi aperfeiçoada.

Essa teoria postula que todos os Seres Humanos percorrem um ciclo de desenvolvimento da consciência, independentemente da etnia, nacionalidade ou base religiosa. Todos nós passamos por quatro categorias de consciência, que se desdobram em outras subcategorias, totalizando oito delas.

Etapa egocêntrica

Na primeira infância somos egocêntricos e egoístas, uma vez que ainda não desenvolvemos habilidades neurológicas e psicológicas para reconhecermos que os outros possuem sentimentos distintos dos nossos, até atingirmos a idade aproximada de quatro anos. No entanto, se esse bebê atinge a idade de 40 anos e ainda não consegue perceber que os outros possuem sentimentos próprios, terá enormes problemas nos relacionamentos.

Etapa etnocêntrica

Por volta dos cinco anos de idade, a partir do desenvolvimento neurológico e psicológico, nos tornamos capazes de reconhecer e experimentar o que outras pessoas estão experimentando. Nesse período, atingimos o estágio etnocêntrico, no qual não somos mais completamente egoístas, mas começamos a nos preocupar com a família, os amigos, as pessoas próximas, enfim todos aqueles que potencialmente podem nos proporcionar dor ou prazer. Essa habilidade se fortalece e se desenvolve no decorrer do tempo. Infelizmente, porém, algumas pessoas nunca saem dessa fase. Elas apenas expandem parcialmente o seu etnocentrismo para abarcar aqueles que compartilham de sua etnia, cultura, religião, convicção política...

Etapa globalcêntrica

O terceiro nível de desenvolvimento é o globalcêntrico, no qual o indivíduo se preocupa com todos, indistintamente, em decorrência de uma profunda conexão emocional. A pessoa se importa e cuida independentemente do fato de estar recebendo dor ou prazer do outro. Essa conexão emocional e essa habilidade de cuidar levam à ação concreta. Essas pessoas desenvolvem alto grau de empatia, mesmo por aqueles que não compartilham de sua etnia, cultura, religião ou postura política.

Etapa espiritualcêntrica

Quando alguém atinge esse estágio, importa-se e cuida de todos os seres e coisas, com o mesmo grau de dedicação. Pouquíssimas pessoas na Terra atingem esse nível de consciência. Acabam se tornando líderes espirituais e exemplos a serem seguidos pelas gerações futuras.

ESPIRAL DINÂMICA

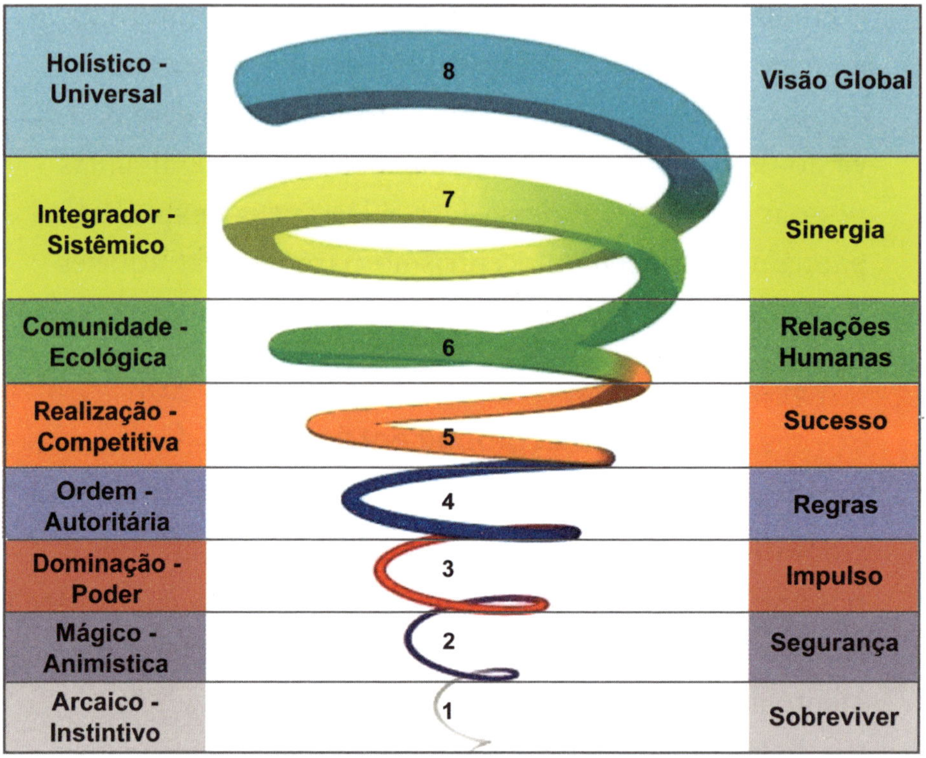

Em resumo, podemos dizer que os Seres Humanos, à maneira das Aeronaves, realizam seu trajeto em altitudes variadas. Quanto maior a altitude, maior a visão e maior a responsabilidade para com a coletividade e para com o próprio planeta.

Reconhecer esses diferentes graus ou estágios evolutivos nos ajuda a lidar melhor com a diversidade humana, a aceitar os limites de cada indivíduo, mas sobretudo a reconhecer o valor de cada perspectiva, ainda que não seja a nossa.

A força do hábito

No capítulo nove, aprendemos que o plano de voo repetitivo é aquele utilizado por companhias aéreas para voos regulares. A necessidade de economia, precisão e eficiência não permitem variações desnecessárias.

Segundo os neurocientistas, nosso cérebro busca, a todo momento, formas de poupar esforço e energia. Um cérebro eficiente ocupa menos espaço, consome menos nutrientes e nos permite parar de pensar em rotinas básicas tais quais andar, respirar, digerir...

Esses padrões similares e rotineiros recebem o nome genérico de hábitos. De modo semelhante, em nível psicológico e emocional, adotamos comportamentos que são rotineiros: os hábitos psíquicos.

Enquanto aprendemos nova rotina, nossa atividade cerebral, especialmente nos gânglios basais, é enorme, uma vez que cada elemento precisa ser assimilado, comparado e armazenado na memória. Aprendido, o comportamento torna-se automático, liberando o cérebro para outras atividades.

Nesse processo, os gânglios basais são essenciais para armazenar e recordar padrões, permitindo a diminuição da atividade cerebral para padrões mínimos. Em suma, o cérebro busca sempre formas de poupar esforço.

Segundo Charles Duhigg, no livro *O Poder do Hábito*, os hábitos se formam como um *loop* de três estágios: **Estímulo – Rotina – Recompensa.** O estímulo aciona o modo automático de nosso cérebro, de acordo com a situação experimentada. Após a escolha do padrão de comportamento mais adequado à situação, começa a operar a rotina previamente armazenada, e agimos segundo o padrão memorizado. Essa rotina pode ser física, mental ou emocional. Finalmente, a recompensa é o elemento que auxilia o cérebro a reconhecer se vale a pena memorizar esse *loop* específico para o futuro, decorrente do prazer experimentado ou ganho obtido ao final do processo.

Quando surge um hábito, o cérebro interrompe o processo de tomada de decisões, diminui seu esforço e desvia o foco para outras atividades. Ganhamos em eficiência, mas perdemos em liberdade, pois nosso cérebro trata de igual modo tanto os hábitos ruins quanto os bons.

A boa notícia é que os hábitos podem ser ignorados, alterados ou substituídos.

Sendo assim, é preciso aprender a criar novas rotinas neurológicas que sejam mais poderosas que os hábitos nocivos, assumindo o controle do *loop* do hábito, forçando tais tendências nocivas a ficarem em segundo plano, mediante a aquisição de novos e saudáveis hábitos.

A história que contamos

A história de nossa vida é composta de pessoas, acontecimentos e avaliações (interpretações). Pessoas chegam e partem, provocam dor ou prazer, despertam nosso amor ou nosso ódio. Elas reagem a nós, mas no fundo são absolutamente autônomas. Acontecimentos se desdobram com nossa ativa participação ou totalmente alheios à nossa influência. Alguns deles surgem a despeito de nossa vontade, sem que possamos controlar ou interferir. As avaliações, porém, são juízos de valor, interpretações, *scripts* e dependem em grande parte de nosso Mapa Mental.

No momento em que experimentamos a presença e a ação de alguém, ou qualquer acontecimento, um conjunto de emoções são desencadeadas, processadas e interpretadas, gerando os complexos "Estados Emocionais", como vimos no capítulo cinco.

No final desse processo, armazenamos na memória o significado da experiência, mas essa avaliação, essa interpretação, esse juízo de valor é profundamente subjetivo e depende de um conjunto de elementos: fator idade, herança familiar, mapa mental, entre outros.

Em síntese, nós atuamos feito roteiristas, diretores e produtores de nosso filme particular. Nós contamos a nossa própria história, a partir dos acontecimentos e das pessoas que se conectam ao nosso destino.

Assim, SIGNIFICADO e ESTADOS EMOCIONAIS são as duas forças da vida. O significado é a força que modela e esculpe, ao passo que os Estados Emocionais são as forças que dão colorido à vida.

As Aerovias formam-se a partir do trajeto efetivamente percorrido por inúmeras Aeronaves, ao longo do tempo. De modo semelhante, as histórias que contamos a respeito de nós mesmos e de nossa vida, ou de períodos dela representam estradas aéreas que condicionam nosso plano de voo.

Isso se deve ao fato de termos uma tendência a repetir padrões, recontar as mesmas histórias e viver as mesmas experiências, por simples HÁBITO. Como vimos, os hábitos se formam porque o cérebro busca incessantemente formas de poupar esforço, além do que sempre existe uma recompensa no final, ou seja, há sempre um ganho psicológico mesmo nas situações mais mórbidas.

Se quisermos alterar nossos hábitos, se desejamos recontar nossa própria história, tornam-se necessários um imenso esforço para quebrar padrões e uma capacidade de adiar a recompensa até que o novo hábito esteja formado. Sem falar na imprescindível mudança mental. Nosso mapa mental, muitas vezes, precisa ser completamente refeito.

É importante, porém, compreender quais são os componentes de uma história, caso nossa intenção seja substituí-la por outra mais saudável. A estrutura de qualquer narrativa ou história pode ser resumida em sete elementos. Eles foram retirados da "jornada do herói", uma espécie de padrão de todas as narrativas da literatura mundial.

Problema/necessidade

O problema é uma necessidade que não está sendo satisfeita, embora nem sempre o personagem principal esteja consciente dela. Em muitos casos, ele percebe apenas o desejo que o move, mas não suas reais necessidades. Para que a história se desdobre, ele precisa desenvolver crenças, valores, habilidades a fim de compreender o que o incomoda e quais são suas necessidades de longo prazo.

Desejo

É a força motriz por trás do comportamento do personagem principal da história. Como vimos, o desejo surge para atender a uma necessidade básica do ser, e ambos estão associados a um tipo de emoção específica, formando o trio: Necessidade – Desejo – Emoção.

Oponente

Há três tipos de oponentes: Externo, Familiar e o Interior. Quanto maior o oponente, maior o herói.

Plano

A estratégia desenvolvida pelo herói para lidar com o oponente.

Batalha

O confronto pessoal com o oponente, no qual o personagem principal torna-se consciente de ser frágil, mortal, limitado. Nesse processo, ele costuma encontrar o significado de sua própria existência.

Realização pessoal

A satisfação dos desejos e necessidades, bem como a realização pessoal constituem as metas do herói, e costumam coroar o seu esforço. Essa realização pessoal pode ser obtida na forma de aquisição de novas crenças, valores ou traços de caráter, tais quais um nível mais profundo de coragem, fé, determinação, honestidade, humildade...

Equilíbrio

Novo ponto de equilíbrio é atingido quando o herói desenvolve novas crenças, valores ou traços de caráter. Ao atingir esse ponto, ele costuma entrar em contato com suas reais necessidades, a fim de preenchê-las.

Esse esboço não é completo e está longe de abarcar toda a complexidade de uma vida humana, mas é suficiente para nos alertar para os pontos importantes da história que estamos contando.

Compreender essa estrutura fundamental da "jornada do herói" é o primeiro passo para reescrever nossa própria história. As Aerovias existem e não podem ser apagadas, mas podemos escolher e percorrer outros trajetos.

11

O tempo e a rota

Nem mesmo a maior de todas as fortunas pode comprar a menor porção de tempo
(Anônimo)

O grande debate da atualidade gira em torno da sustentabilidade e do uso adequado dos recursos, de modo a garantir a sobrevivência do planeta e das futuras gerações. No entanto, parece que o fluxo frenético de nosso estilo de vida acaba por anestesiar nossas consciências a respeito de um ponto fundamental: A duração da vida humana.

Nossa existência física é limitada, portanto, preciosa. É preciso, então, repetir a pergunta:

O que mudaria se você soubesse, além da data de seu nascimento, a data de sua morte?

Essa questão coloca em destaque: O valor do tempo.

A maioria de nós utiliza o tempo como se ele fosse um recurso inesgotável e comum. A verdade, porém, é que ele é limitado para o indivíduo e tão precioso que nenhuma fortuna é capaz de adquirir uma porção extra.

Ao longo deste livro, temos falado de migração, viagem, roteiro, bússola e leme, mas parte da jornada é o seu término. E chegará para todos nós o último instante, o inegociável momento do fim.

O principal, o mais escasso e o mais precioso de todos os recursos merece um gerenciamento à sua altura. Todos gerenciamos o tempo, quer tenhamos ou não consciência disso, mas bem poucos escolhem conscientemente um gerenciamento de qualidade, eficaz e eficiente.

Na década de 90, Stephen R. Covey[12] sugeriu a criação da quarta geração da gestão do tempo, com a utilização de ferramentas originais, decorrentes de sua inovadora abordagem do tema. Seu método está assentado em princípios que podem ser extraídos dessa magnífica fala: "O que é importante raramente é urgente; e o que é urgente raramente é importante". (Dwight Eisenhower – 34° Presidente dos Estados Unidos da América)

Covey nos alerta para a síndrome da urgência e sua semelhança com outros tipos de dependência tais quais drogas, jogo, comida. Segundo ele, o torpor da urgência é tão instigante que somos impulsionados a fazer algo urgente apenas para nos mantermos em atividade. As pessoas esperam que estejamos sempre ocupados

12 Stephen R. Covey. *Primeiro o Mais Importante*. Rio de Janeiro: Sextante, 2017.

porque isso se tornou um símbolo de *status*, a ponto de ficarmos constrangidos quando não estamos fazendo algo. O foco na urgência justifica nossa existência, nos torna populares e admirados, além de nos proporcionar prazer e segurança.

No entanto, esse comportamento destrutivo apenas preenche temporariamente o vazio deixado pelas reais necessidades que não foram priorizadas e atendidas a seu tempo. Há uma lacuna entre a bússola e o relógio, entre o que é realmente importante e aquilo que é somente temporário e sem relevância.

Estabelecer prioridades em nossa vida exige a conjugação de dois poderosos instrumentos: a bússola e o relógio. A bússola representa minha identidade, minhas características, a fase da vida em que me encontro (fator idade), meus valores, meu propósito, meu desejo central, minha visão, a direção para onde estou seguindo. O relógio representa os compromissos, as reuniões, os agendamentos, as atividades, as metas.

Existe uma hora e um lugar para tudo. Não basta realizar com eficiência e rapidez, é preciso fazer a coisa certa no tempo certo.

Discernir, porém, entre o que é meramente urgente e aquilo que é importante não é tarefa das mais simples. Para tanto, Covey criou a Matriz da Gestão do Tempo, que fornece alguns elementos cruciais nessa separação do joio e do trigo.

A Matriz parte do pressuposto que existem dois tipos de assuntos importantes em nossas vidas: aqueles que se tornaram urgentes, em razão de nossa negligência; e aqueles que não possuem qualquer urgência, embora não tenham perdido nada em relevância. Esclarece também que, entre os assuntos sem importância, existem igualmente dois tipos: aqueles que não são urgentes, devendo ser eliminados, por constituírem total desperdício de tempo; e outros que são urgentes, razão pela qual atraem nossa atenção, mesmo não sendo prioritários. Eles constituem a isca que fisga todos os portadores da síndrome da urgência.

Podemos terminar o dia completamente fatigados, sem termos feito nada de relevante nos termos de nossos propósitos, de nossas prioridades. Não é difícil admitir isso. A questão mais complexa é: Como encontrar o propósito de minha vida, como estabelecer minhas prioridades, como definir o que é importante para mim?

Stephen Covey sugere a criação de uma agenda semanal, bem como a definição de papéis a serem escolhidos e desempenhados pelo indivíduo. Nesse esquema, seria definida pelo menos uma atividade primordial, no curso da semana, para cada um dos papéis escolhidos, além de um agendamento para atividades de aprimoramento, refazimento, espiritualidade e religiosidade que ele denomina "afinação do instrumento".

<table>
<tr><td rowspan="2">É urgente e precisa ser...</td><td>realizado hoje?</td><td colspan="2" rowspan="2">Não importante e urgente
DELEGUE PARA OUTRA PESSOA
3</td><td colspan="2" rowspan="2">Importante e urgente
FAÇA IMEDIATAMENTE
1</td></tr>
<tr><td>realizado nesta semana?</td></tr>
<tr><td rowspan="2">Não é urgente...</td><td>e pode ser feito neste mês?</td><td colspan="2" rowspan="2">Não importante e não urgente
ELIMINE
4</td><td colspan="2" rowspan="2">Importante e não urgente
PLANEJE
2</td></tr>
<tr><td>e pode ser feito em até um ano?</td></tr>
<tr><td colspan="2" rowspan="2"></td><td>e ainda atrapalha?</td><td>e não tem utilidade?</td><td>necessário?</td><td>crítico?</td></tr>
<tr><td colspan="2">Não é importante...</td><td colspan="2">É importante e...</td></tr>
</table>

Para muitos, no entanto, é difícil saber por onde começar, quando se trata de autoconhecimento, de definição de propósito, princípios, valores, metas e de escolha dos papéis relevantes a serem desempenhados ao longo da vida.

Ademais, ainda que sejamos capazes de definir um determinado número de papéis, permanece a dúvida quanto à validade dessa escolha. Não estaríamos negligenciando áreas vitais de nossa vida exatamente pelo fato de estabelecermos papéis a serem desempenhados?

Mesmo criando sinergia entre eles, não temos a garantia de que a escolha realmente contemplou o que é relevante para nossa existência. Pode não haver sintonia entre os papéis escolhidos e nossa natureza mais profunda.

Na primeira parte deste livro, elaboramos um conjunto de ferramentas com a finalidade de auxiliar o leitor em sua jornada de autoconhecimento. Respondendo às questões formuladas nos capítulos iniciais, somos estimulados a realizar profundo mergulho em nossa natureza mais íntima.

Esses questionamentos são fundamentais para realizarmos a tarefa de definição da missão pessoal, de nossos propósitos e prioridades. Sem as ferramentas de autoconhecimento, essa imersão interior pode resultar em uma atividade infrutífera.

Por outro lado, sem a definição de minha particular tipologia psicológica, posso correr o risco de escalar uma grandiosa montanha e descobrir, ao término da jornada, que escolhi a montanha errada. Posso definir um estilo de vida que não condiz com minha natureza interior.

Desse modo, retomando o tema da "duração da vida humana", breve e precária, acreditamos que qualquer processo de gestão do tempo deve ser iniciado pelo exame do "fator idade", abordado no segundo capítulo deste livro.

A fase da vida em que o indivíduo se encontra é a grande moldura definidora de parâmetros gerais a respeito de sua experiência particular do tempo. Assim, uma pessoa na idade de 28 anos percebe e gerencia o tempo de maneira muito diversa de alguém que se encontra na fase dos 56 anos.

O próximo passo é estabelecer qual o meu "Desejo Central", ao lado dos demais desejos secundários, lembrando nossa teoria da estrutura tríplice dos desejos: Necessidade – Desejo – Emoção. Esse tema foi abordado no quinto capítulo, que constitui poderosa ferramenta para a definição de nossas prioridades.

Compreender tais forças, que impulsionam o Ser Humano, nos auxilia a estabelecer de forma mais realista e pragmática nossa Missão – Visão – Valores – Metas. Nesse caso, iniciamos pelo autoconhecimento para depois definirmos esses elementos.

Por fim, sugerimos a substituição do paradigma dos papéis pela ideia de "Setores da Experiência". O conceito de papéis estabelece o foco na ação propriamente dita, mas desconsidera o contexto mais amplo do enredo, da peça como um todo, da totalidade de nossa existência.

A vida possui vários níveis, fronteiras, instalações e instrumentos para os diversos tipos de atividade individual e/ou social. O Ser Humano, portanto, vive em muitas "moradas". Cada um desses setores, mostrados no capítulo quatro, indica campos específicos de experiência, ou espectros dela.

Podemos examinar a vida de alguém em função da maneira pela qual atende a essas diversas áreas ou "moradas". O grau com que o indivíduo enfatiza, focaliza uma dessas áreas ou "departamentos de sua experiência" nos revela onde ele se encontra psiquicamente, aonde ele experimenta o desenrolar de sua própria existência.

Quando pensamos nessas diversas áreas da vida de uma pessoa, muitas coisas nos vêm à mente: profissão, família, filhos, recursos, relacionamentos...

É fácil constatar que esses diversos Setores da Experiência humana constituem o nosso território. Em resumo, é neles que nossa mente "habita", movimenta-se, sonha, alegra-se e chora. É também nesses setores que experimentamos as mudanças, as rupturas, as crises.

É nesse território imenso que devemos gerenciar o tempo.

Nessa perspectiva, devemos substituir a pergunta "Qual papel vou desempenhar?" pela questão "Quanto tempo vou dedicar a cada um desses doze setores"? Lembrando que todos eles merecem nossa atenção e dedicação, em maior ou menor intensidade, dependendo de nossa tipologia psíquica e de nossas escolhas pessoais.

Quando a gestão do tempo é encarada dessa maneira, o indivíduo consegue perceber que não há oposição fundamental entre profissão e família, individualidade e relacionamento. Há, na verdade, áreas complementares que precisam ser cultivadas, de modo equilibrado e dinâmico. Em alguns momentos, posso dedicar mais tempo à profissão, mas sempre atento à minha família. Em determinadas circunstâncias, reservo um tempo para fazer coisas que me agradam, que me fazem sentir um indivíduo único, mas sem perder de vista meu relacionamento afetivo.

A partir dessa compreensão, estabeleço uma agenda semanal, como aconselha Stephen Covey, mas gerencio cada um dos "Doze Setores da Experiência", estabelecendo as prioridades de cada um deles. A gestão do tempo se transforma, nesse modelo, em constante busca de equilíbrio. O balanceamento dinâmico das atividades, a alocação de recursos em cada área e a disponibilização de tempo para elas passam a ser feitos de modo consciente, dirigido, planejado. Em suma, cada setor é considerado um projeto. A partir dessa definição, aplicamos as ferramentas de gestão de projetos para os setores, de modo individual. Uma dessas ferramentas, que acreditamos ser bastante eficaz, é a matriz do Marco Lógico. Com ela podemos gerenciar cada um dos setores de nossa vida, de modo equilibrado e alinhado com nossa tipologia psíquica e com nosso propósito geral de vida.

Para cada "Setor da Experiência" definimos um objetivo geral, um objetivo específico do projeto, resultados a serem atingidos, atividades a serem realizadas ou papéis a serem desempenhados naquele setor, indicadores de medição de resultado, fontes de verificação desses indicadores e os pressupostos ou pré-requisitos a serem atendidos para que cada um desses elementos possa ser aplicado.

Nesse esforço, conjugamos o relógio, a bússola e o leme.

MATRIZ DO MARCO LÓGICO

<table>
<tr><th>Descrição sumária</th><th>Indicadores</th><th>Fontes de verificação</th><th>Pressupostos</th></tr>
<tr><td>Objetivo Geral</td><td></td><td></td><td></td></tr>
<tr><td>Objetivo do Projeto</td><td></td><td></td><td></td></tr>
<tr><td>Resultados</td><td></td><td></td><td></td></tr>
<tr><td colspan="3">Atividades</td><td></td></tr>
</table>

12

Outros navegantes

As afeições, quanto as plantas, reclamam cultivo adequado. Compreensão não se improvisa. É obra de tempo, colaboração, harmonia

(Emmanuel)

Contemplando as inúmeras Aerovias do planeta, algumas delas atravessando continentes, podemos observar milhares de Aeronaves cruzando os ares simultaneamente. Elas percorrem essas estradas aéreas em várias direções e sentidos, em diversas altitudes, ao mesmo tempo.

É necessário um rigoroso controle do tráfego aéreo para se evitar o choque dessas máquinas voadoras, que transportam diariamente centenas de milhares de pessoas. Múltiplas regras internacionais foram elaboradas para regular esses trajetos, todas elas visando à otimização das operações e à segurança dos passageiros.

Rotinas exaustivas devem ser observadas por cada Comandante (Piloto em comando), e por toda sua tripulação. Muitas inspeções e *checklist* devem ser realizadas regularmente para garantir as condições operacionais das Aeronaves.

O tráfego aéreo é tão intenso que um simples erro pode comprometer muitos voos e colocar em risco muitas vidas.

Até agora, temos focalizado nossa atenção na planificação de "voos" individuais, projetos particulares de vida, mas é preciso reconhecer que a vida é feita de interações, sinergia, relacionamentos. Cada pessoa segue seu trajeto, porém, em muitas ocasiões, as rotas se cruzam, seguem paralelas ou na sequência umas das outras.

Podemos seguir nosso curso de modo inconsciente, alheio aos padrões de regularidade que regem as relações humanas, colhendo muita dor, frustração e fracasso como resultado dessa ignorância. Contudo, é possível aprender e compreender as leis que regem as interações humanas, especialmente a comunicação, de modo a tornar nossas relações mais saudáveis, mais produtivas, mais enriquecedoras.

Há uma ciência de cultivar amizades, relações afetivas e construir entendimento nas interações interpessoais. De modo semelhante ao cultivo do trigo, no campo espiritual das relações humanas não será possível colher sem semear.

É necessário examinar, diariamente, nossa lavoura afetiva e observar se não estamos exigindo flores prematuras ou frutos antecipados, sobrecarregando as pessoas com exigências, expectativas, julgamentos e padrões moralistas.

Todo cultivo exige atenção, cuidado, adubo, irrigação, zelo. Para atingir a colheita de grandes e preciosos resultados, é preciso imitar o lavrador prudente e devotado.

O filósofo Immanuel Kant, em seu livro *Metafísica da Moral*, estabeleceu uma máxima conhecida por "Imperativo Categórico". Trata-se de um dever moral, razão pela qual é um imperativo, e aplicável a todos os Seres Humanos, sem exceção, motivo pelo qual é categórico: "Existe (...) só um imperativo categórico, que é este: Aja apenas segundo a máxima que você gostaria de ver transformada em Lei Universal".

Essa formulação é uma modificação da Regra Áurea, segundo a qual devemos fazer aos outros o que gostaríamos que nos fizessem, porém, ampliada e corrigida, para se evitar o relativismo moral decorrente do fato de que cada pessoa tem uma ideia diferente sobre o que gostaria que se fizesse a ela.

Na formulação de Kant, para se evitar o relativismo moral e o subjetivismo, devemos imaginar como seria se a humanidade inteira adotasse o comportamento que estamos avaliando. Por exemplo: É correto jogar um pequenino, quase insignificante papel na rua? Imagine a humanidade inteira jogando esse minúsculo papel... o que aconteceria? Fica evidente tratar-se de uma conduta inadequada.

Essa é a primeira regra a ser observada nas interações humanas, de modo a construir relações éticas, íntegras, saudáveis e produtivas.

O segundo conjunto de regras diz respeito à comunicação, ao uso adequado das palavras. O psicanalista francês Jacques Lacan chega a afirmar que o inconsciente é estruturado como linguagem. Esse fato é reconhecido por inúmeros filósofos, psicanalistas, psicólogos, neurocientistas...

Hayakawa, no livro *A Linguagem no Pensamento e na Ação*, afirma: "As palavras – o modo como as emprega e o modo como as recebe quando proferidas pelos outros – plasmam, em larga medida, as suas crenças, preconceitos, ideias e aspirações. Constituem, em suma, a atmosfera moral e intelectual na qual ele vive; constituem, em suma, o seu ambiente semântico".

Ao contrário dos Seres Humanos, os animais lutam apenas por alimento, abrigo e liderança, mas não lutam por coisas que representam a riqueza (dinheiro, ações, títulos), distintivos de classe e prestígio social. Parece não existir entre os animais, exceto em um nível muito rudimentar, a relação em que uma coisa representa outra – o processo simbólico.

Dentre todas as formas de simbolismo, é a linguagem a mais altamente desenvolvida, a mais sutil e a mais complicada. Mediante um acordo, os Seres Humanos podem fazer com que qualquer coisa represente qualquer outra.

A palavra é a mais poderosa ferramenta do Ser Humano.

Devemos manifestar cuidado e apuro em nossa linguagem. Don Miguel Ruiz, em *Os Quatro Compromissos*, nos estimula a assumir quatro compromissos em relação ao processo de comunicação:

1) Seja impecável com a sua palavra.
2) Não leve nada para o lado pessoal.
3) Não presuma.
4) Dê sempre o seu melhor.

O uso impecável da palavra envolve três elementos: a **expressão**, o **modo** como nos comunicamos e a **voz** adequada.

É necessário dizer palavras claras, assertivas, transparentes, sinceras, mas também respeitosas, livres de preconceito, ódio, rancor, julgamentos moralistas. Além disso, o modo como nos expressamos pode afetar mais o diálogo do que as próprias palavras. Tratar o interlocutor com respeito e igualdade, respeitar os códigos culturais de quem dialoga conosco, ser educado, brando, gentil e compassivo. No tocante à voz, aprender a modular nossa fala para que a altura, o timbre, a intensidade se adequem ao ambiente, às circunstâncias e necessidades concretas da situação.

Levamos para o lado pessoal quando alimentamos a crença de que tudo é sobre nós, de que o mundo gira ao nosso redor, de que as pessoas fazem ou deixam de fazer algo por nossa causa. Os Seres Humanos, porém, fazem apenas aquilo que querem ou aquilo que é conveniente. Não podemos acreditar que somos responsáveis por tudo.

Presumimos quando optamos por tirar conclusões antes de fazermos as perguntas. Toda vez que construímos histórias, enredos, cheios de palpites subjetivos, avaliações parciais e passionais, antes mesmo de tocar diretamente no assunto com a pessoa. Essa conduta gera um enorme sofrimento, muito maior do que o incômodo de sermos diretos e fazermos as perguntas certas, de forma objetiva.

Por fim, tanto na comunicação quanto em todos os demais aspectos da vida, devemos assumir um compromisso com a excelência. Dar o melhor de si é comprometer-se a oferecer nossa melhor parte, de acordo com nossas forças, nossa saúde, nossos impedimentos e limitações.

Outra abordagem igualmente rica encontra-se na obra de Marshall B. Rosenberg, *Comunicação Não-Violenta*, que oferece técnicas para aprimorar relacionamentos pessoais e profissionais, com base no mais completo abandono da violência, explícita ou velada: "A Comunicação Não-Violenta nos ajuda a nos ligarmos uns aos outros e a nós mesmos, possibilitando que nossa compaixão floresça. Ela nos guia no processo de reformular a maneira pela qual nos expressamos e escutamos os outros, mediante a concentração em quatro áreas: o que observamos, o que sentimos, do que necessitamos, e o que pedimos para enriquecer nossa vida. A Comunicação Não-Violenta promove maior profundidade no escutar, fomenta o respeito e a empatia e provoca o desejo mútuo de nos entregarmos de coração".

Extrapolando a comunicação propriamente dita, não podemos nos esquecer de outros dois elementos fundamentais, garantidores da estabilidade e da saúde de nossas relações pessoais e profissionais: a **reciprocidade** e o **equilíbrio**.

A reciprocidade diz respeito ao fluxo dinâmico entre o dar e o receber. Dizem os sábios hebreus que a diferença entre o Mar da Galileia e o Mar Morto é esta: as águas que surgem do degelo das colinas de Golam passam pelo Mar da Galileia e seguem pelo rio Jordão, mas ao chegarem ao Mar Morto elas estacionam e não seguem para lugar nenhum. O primeiro recebe as águas e as entrega, o segundo apenas recebe; um é vivo, o outro é morto.

Relações humanas que não estão baseadas na reciprocidade não são fortes o suficiente para perdurar, pois na maioria das vezes repousam na dependência, na opressão, no assédio moral, na violência e no abuso de poder.

É natural que alguém doe mais que outro, em determinada circunstância, mas não é natural que isso seja a regra da relação. A reciprocidade preserva a dignidade dos envolvidos e favorece o desenvolvimento pessoal das partes.

O equilíbrio diz respeito à adoção do paradigma "ganha-ganha". Ao longo dos séculos, construímos um conceito de que para alguém ganhar, outro deve perder. Isso tem sido a fonte de inúmeras injustiças, desigualdades, crueldades, escravidão, ódio e preconceito.

O equilíbrio revela harmonia, respeito ao princípio da dignidade humana e absoluta sintonia com os padrões de regularidade que regem a natureza, incluindo a natureza humana.

As relações humanas representam nosso maior desafio. Todavia, é delas que obtemos as maiores recompensas. Os princípios expostos neste capítulo podem parecer simples, mas constituem tarefa árdua...

Não se pode medir a grandeza de uma vida pelas suas conquistas exteriores. A pompa dos museus e as ruínas das civilizações mortas são uma advertência para todos nós. Tudo que é material, palpável serve apenas de roupagem ao pensamento. A ideia evolui, o espírito humano se enriquece e os envoltórios antigos permanecem a distância.

Nosso maior patrimônio é o propósito de nossa existência. A Odisseia da vida de um indivíduo deve ser apreciada pela fidelidade e dedicação dessa pessoa ao seu propósito particular. Afinal, ninguém poderá viver em nosso lugar, ninguém poderá desenvolver os potenciais que são nossos.

A jornada construída por este livro chega ao fim!

Atenção tripulação! Portas em automático. Nosso voo terá a maior duração possível. Tempo em rota? Teremos de tudo um pouco, de céu claro a tempestades. Em caso de turbulência, não se canse de ler esse livro... mas leia primeiro, depois ajude os que estão ao seu lado... Durante o voo, serviremos aprendizado, aprimoramento e crescimento espiritual.

Todavia, em qualquer hipótese...
aconteça o que acontecer...
aproveite a viagem!
Ela é o seu maior tesouro.

PARTE III

Exercícios

Exercício 1

Volte às páginas 63 e 64, no capítulo 3, e nas de 105 a 120, no capítulo 5, e preencha o quadro ao lado, que foi elaborado para ser um guia facilitador a sua autodescoberta. Você deverá refletir sobre cada um dos potenciais humanos ou recursos internos, respondendo a questões simples e diretas: Esse potencial se expressa em mim de forma introvertida ou extrovertida? Esse potencial possui a qualidade da função intuição, pensamento, ou sentimento?

	INTROVERTIDO/EXTROVERTIDO	SENSAÇÃO/INTUIÇÃO PENSAMENTO/SENTIMENTO
SER		
SENTIR / REAGIR		
PENSAR / COMUNICAR		
GOSTAR		
AGIR		
PROSPERAR		
PRESERVAR		
MUDAR		
TRANSCENDER		
REGENERAR		

Exercício 2

Volte às páginas de 127 a 140, no capítulo 5, para ajudar você a descobrir qual sua força primária. Você vai preencher com um lápis cada uma das 12 fatias da Roda das Emoções (Automatismo) Necessidade / Desejo / Emoção, de acordo com o papel que cada uma delas ocupa na sua vida. Se a importância for reduzida, você preenche apenas 1/3, se for mediana, o colorido deverá abranger a metade da fatia, e assim por diante. Depois de fazer e refazer, calibrar e retificar você terá uma fatia que se destaca das demais. Este é o foco de sua personalidade. É o seu DESEJO CENTRAL, aquilo que polariza todas as suas energias.

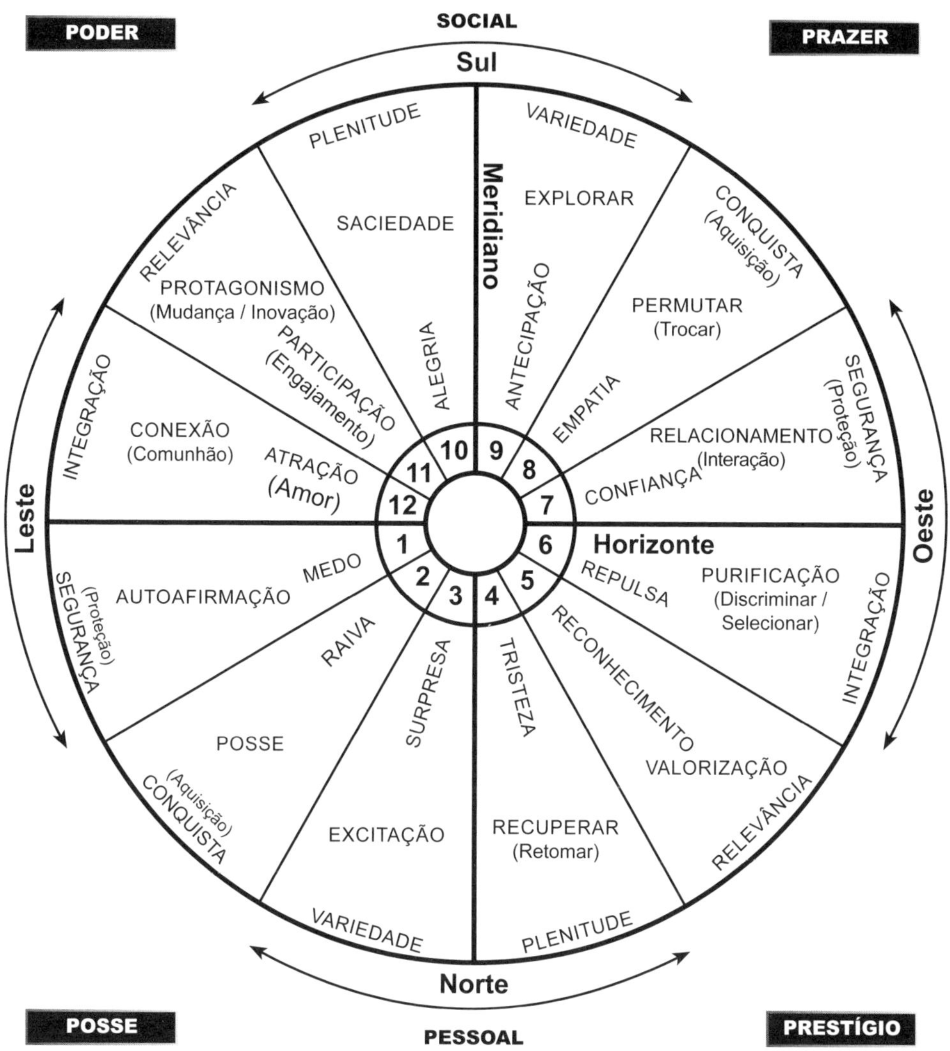
PODER
SOCIAL
PRAZER
Sul
Meridiano
PLENITUDE
SACIEDADE
VARIEDADE
EXPLORAR
RELEVÂNCIA
PROTAGONISMO
(Mudança / Inovação)
CONQUISTA
(Aquisição)
PERMUTAR
(Trocar)
ANTECIPAÇÃO
ALEGRIA
PARTICIPAÇÃO
(Engajamento)
EMPATIA
INTEGRAÇÃO
CONEXÃO
(Comunhão)
ATRAÇÃO
(Amor)
SEGURANÇA
(Proteção)
RELACIONAMENTO
(Interação)
CONFIANÇA
10
9
11
8
12
7
1
6
2
3
4
5
Leste
Oeste
Horizonte
MEDO
AUTOAFIRMAÇÃO
SEGURANÇA
(Proteção)
REPULSA
PURIFICAÇÃO
(Discriminar /
Selecionar)
INTEGRAÇÃO
RAIVA
SURPRESA
TRISTEZA
RECONHECIMENTO
POSSE
VALORIZAÇÃO
CONQUISTA
(Aquisição)
EXCITAÇÃO
RECUPERAR
(Retomar)
RELEVÂNCIA
VARIEDADE
PLENITUDE
Norte
POSSE
PESSOAL
PRESTÍGIO